水库淹没工矿企业
补偿评估理论与方法研究

张华忠　赵时华　著

黄河水利出版社

内容提要

本书通过对三峡工程、黄河小浪底工程等水库淹没工矿企业补偿评估的系统总结与研究，提出了一套科学的补偿评估理论和规范性的评估方法。可供水利行业有关人士阅读参考。

图书在版编目(CIP)数据

水库淹没工矿企业补偿评估理论与方法研究/张华忠，赵时华著.—郑州：黄河水利出版社，2004.1

ISBN 7-80621-380-5

Ⅰ.水… Ⅱ.①张…②赵… Ⅲ.水利工程-水淹-厂矿企业-补偿性财政政策-中国 Ⅳ.①TV62②F811.0

中国版本图书馆 CIP 数据核字(2004)第 111593 号

出 版 社：黄河水利出版社

地址：河南省郑州市金水路 11 号　　邮政编码：450003

发行单位：黄河水利出版社

发行部电话及传真：0371-6022620

E-mail：yrcp@public.zz.ha.cn

承印单位：黄委会设计院印刷厂

开本：850mm×1 168mm　1/32

印张：7.125

字数：179 千字　　印数：1—2 000

版次：2004 年 1 月第 1 版　　印次：2004 年 1 月第 1 次印刷

书号：ISBN 7-80621-380-5/TV·195　　定价：20.00 元

前　　言

水利水电是国民经济的基础产业。水利水电工程在防洪、发电、航运、灌溉、供水等方面发挥巨大效益的同时,也在库区不同程度地产生了淹没损失。如何对库区淹没损失进行合理补偿,一直是水利水电工程建设中探讨的重大课题。我国从20世纪50年代初开始借鉴前苏联经验,逐步形成了水库淹没处理原则和处理方法,但在计划经济体制下形成的这套处理原则和方法难以适应社会主义市场经济发展的要求。尤其是对受淹工矿企业的补偿,因涉及到不同所有制形式、不同规模、不同行业、不同经营状况,以及不同淹没损失性质和程度,一直是水库淹没处理中的难点。特别是三峡工程建设中需搬迁工矿企业数量多(1 599家),这些工矿企业是库区经济发展的支柱,对其进行补偿的合理性关系到国家、地方和企业三方的利益,迫切需要采用科学的理论和规范的方法来处理。

1991年,水利部长江水利委员会(以下简称长江委)在编制《长江三峡工程水库淹没实物指标调查大纲》时,受淹工矿企业补偿理论与方法的探讨就引起了我们的关注。因而,自1992年编制《长江三峡工程水库淹没处理与移民安置规划大纲》和在三峡库区秭归县进行移民安置规划试点开始,我们在长江委的直接领导下,在原国务院三峡工程建设委员会移民开发局(以下简称三峡建委移民局)和原国家国有资产管理局的支持、指导下,借鉴资产评估理论和方法,结合国家水库淹没补偿政策,通过多次研讨和试点,提出了一套比较完善的补偿评估办法。1996年,长江委江河咨询评估中心(以下简称评估中心,现已成为独立的社会中介机构,更名为江河资产评估咨询有限公司),与长江委长江勘测规划设计研究院库区规划设计处共同协作，同有关单位一起全面完成了三峡库区受淹工矿企业的补偿评估工作任务，取得了较好的效果。1997～1998年间，评估中心还两次受邀，对黄河小浪底库区受淹工矿企业补偿评估工作进行咨询。

1998年，原三峡建委移民局为总结三峡库区受淹工矿企业补偿与迁建工作，安排了《水利水电工程库区受淹工矿企业补偿评估理论和方法研究》科研课题，试图通过对长江三峡工程、黄河小浪底工程等水库受淹工矿企业补偿评估工作的系统总结与研究，提出了一套科学的补偿评估理论和规范性的补偿评估方法。赵时华、张华忠等同志承担了该课题科研任务，该课题已于2002年8月完成，同年通过了三峡建委办公室规划司的验收。本书是在该研究成果的基础上经过进一步补充、修改、完善、整理完成的。

本书共由12章组成。第一章概述我国水库淹没处理及移民安置情况，论述了水库淹没处理原则、补偿标准和补偿投资计算方法。第二章至第四章为理论部分，主要叙述补偿评估的必要性、补偿评估目的、补偿评估性质、补偿评估标准、补偿评估方法、补偿评估程序等，提出了以重置成本作为补偿评估标准、以重置成本法为主的补偿评估方法体系。第五章至第十章为受淹工矿企业补偿评估实务部分，分别探讨了受淹工矿企业房屋、设施、设备、实物性流动资产、停产损失等评估问题，提出了不同类型资产的补偿评估方法，尤其对补偿评估中的难点，即对机器设备搬迁损失和停产损失鉴定问题均提出了科学的处理办法；此外还探讨了一些特殊资产（如井巷工程、港口码头等）的补偿评估问题。第十一章、第十二章分别叙述了补偿评估报告的编制，以及补偿评估管理等。

目前，受淹工矿企业补偿评估理论和方法已逐步得到水利水电行业主管部门的重视，研究成果已为水利部《水利水电工程建设征地移民设计规范》（报批稿）所采纳。2002年，原国家经贸委颁布的《水电工程设计概算编制办法及计算标准》中要求："对受淹企事业单位迁建补偿单价，根据对企业的资产评估，估算单一企业除房屋、附属建筑物以外的一次性补偿费用。”受淹工矿企业补偿评估理论和方法在南水北调中线工程丹江口库区和国内其他大型水库得到了推广应用。

受淹工矿企业补偿评估理论和办法不仅适用于工矿企业，而且还适用于企事业单位、专业设施补偿投资的确定。这套办法已被推广应用到三峡库区受淹港口码头、邮电通讯等专项设施以及受淹企事业单位的补偿，均取得了很好的效果。随着我国社会经济体制变化，国家政治、经济、法规建设的不断完善，以及国家基础产业之一的水利水电工程建设事业的快速发展，补偿评估理论和方法将与水利水电工程征地移民工作一道，不断面临新形势、新问题，不断开拓新领域，进一步走向科学化、制度化和规范化。

本书是一项合作研究成果，张华忠、赵时华同志承担了本书主要内容的编写，周志勇、蒲正源、黄勇、王永、王群、赵立波、廖少琳等同志分别参与了有关章节部分内容的编写工作。中南财经大学的杜学钧教授、长江委的黄德林教授级高级工程师对本书提出了许多宝贵意见。十余年来，本项研究工作得到了水利部前副部长黄友若同志、原国家国有资产管理局副局长鞠庆琪同志、原三峡建委移民局副局长杨启声同志、规划司司长段志德同志和三峡建委办公室规划司张绍春司长、罗元华副司长、刘真处长，长江委原副主任文伏波院士、潘天达、傅秀堂以及唐登清教授级高级工程师等同志的关心和大力支持，谨在此一并表示衷心的感谢！同时，由于我们的水平有限，以偏概全、管中窥豹之处在所难免，恳切希望有关专家、学者批评指正！

作　者

2003 年 11 月

目 录

第一章　水库淹没处理及移民安置概述

水库淹没处理是水利水电工程建设的重要组成部分。水库淹没处理补偿投资占水利水电工程建设投资的比重很大，且随着我国社会经济发展还会不断增加。水库淹没处理投资的确定关系到国家、地方、移民三者的利益，以及移民能否稳妥安置，是一项政策性强、涉及面广、情况复杂、影响深远的技术经济工作，一直是水利水电工程建设中重要的研究课题。新中国成立以来，我国政府十分重视水库淹没处理及移民安置理论、方法和政策研究工作，制定了一系列比较完善的政策、法规，促进了水利水电工程建设事业的发展。

第一节　水利水电工程建设及移民安置概况

我国是一个水资源丰富的国家，年平均降水总量 60 000 亿 m^3，折合降水深约 630mm，约占全球陆地降水总量的 5%。河川年平均径流总量 27 100 亿 m^3，占欧亚大陆河川年均径流总量的 17.3%，为全球河川年均径流总量的 5.5%，居世界第 5 位，仅次于巴西、前苏联、加拿大和美国。水力资源理论蕴藏量 6.78 亿 kW，年发电能力 59 200 亿 kWh；可开发水力资源装机容量 3.78 亿 kW，年发电量 19 200 亿 kWh，以上各项指标均居世界第 1 位。

我国水资源基本来源于大气降水。由于幅员辽阔具有多样的地形环境,受大气环流和下垫面性质等多种因素的相互制约,使我国具有多种多样的气候类型。水资源时空分布差异很大,在地域上总的分布情况是东部多、西部少,南方多、北方少;在时间上夏季多,春、秋季易发生干旱。各地气候、降水在时空上的规律性与随机性变化,使我国各地洪、涝、旱灾害频繁。以我国中部、东部为主的灾害统计表明,自公元前1766年(商汤十八年)到公元1937年的3 703年间,发生过大的水旱灾害2 132次,其中旱灾1 074次、水灾1 058次,平均每两年就有一次大的水旱灾害[1]。局部区域亦是如此,以四川省长江干流为例,最早的洪水记载,可以追溯到公元前185年,现已发现的最早的洪水题刻年代为南宋绍兴二十三年(公元1153年)。公元1153~1948年的796年间,仅长江干流宜宾至宜昌河段先后于公元1153年、1223年……1860年、1870年、1882年……1931年、1934年、1935年、1936年、1938年、1945年、1948年"[2]共发生46次较大洪水。平均17.3年一次。

我国是最早开发利用水资源的国家,传说中的共工氏"壅防百川、堕高堙庳"、鲧"障洪水",到大禹"平治水土",反映了远在四五千年之前的原始氏族社会时期,我国古代先民们在开辟洪荒、改造自然的漫长进程中不懈的治水活动。到商周时期,用于农田灌溉的沟洫工程,在甲骨文、金文和先秦典籍中都有明确的文字记录。春秋战国时期水利建设得到蓬勃发展,如公元前600年楚国修建了芍陂(安丰塘),公元前250年秦国修建了都江堰,公元前236年修建了郑国渠,公元前221年至公元前214年开凿了连接长江和珠江水系的灵渠。秦代之后又相继修建了黄河大堤、荆江大堤、钱塘海塘、洪泽湖大堤、京杭大运河。许多古代水利工程经历了历代

---

[1]长江水利委员会,重庆市文化局,重庆博物馆.四川两千年洪灾史料汇编.北京:文物出版社,1993

[2]邓云特.中国救荒史.北京:商务印书馆,1937

维修，沿用至今，泽惠千年。在数千年历史中，灌溉、防洪、航运等方面的治水成就，显示了我国古代文明与进步，闪耀着古代科学文化的光辉，体现了中国人民的勤劳与智慧。

新中国成立以来，我国水利水电事业有了突飞猛进的发展。截至1996年，近50年共修建各类水库8.48万座，其中官厅、狮子滩、密云、梅山、上犹江、南湾、三门峡、丹江口、新丰江、新安江、刘家峡、葛洲坝、东江、柘溪、万安、宝珠寺、潘家口、白山、二滩等大型水库394座，库容达3 267亿m^3；中型水库2 634座，库容为729亿m^3。大中型水电站装机容量3 604万kW，年发电量1 880亿kWh，水利工程灌溉面积达2 259.3万hm^2，堤防长度达25万km，保护面积34万km^2。这些水利工程在防洪、除涝、农田灌溉、发电、航运、城市供水等方面发挥了巨大作用，作为国民经济基础产业，对促进国民经济各行业的发展，起到了不可替代的保障作用。没有这些水利水电工程，就没有今天我们社会经济的发展和生活质量的提高。黄河小浪底工程、举世瞩目的长江三峡工程及待建中的南水北调工程，必将会对我国社会、经济发展和人类进步起着强有力的推动作用。

修建水利水电工程，能够改变水资源的时空分配。将丰水期的水拦蓄，存到枯水期利用；将多水地区的水输送到干旱地区用于灌溉、工业生产与生活；利用河流落差，将水能转变成清洁的电能，以保障我们现代经济持续发展和生活质量的提高。但同时，这些工程措施也是以改变自然环境和一定程度的淹没损失为代价的。据不完全统计，截至20世纪90年代初，我国水库工程共淹没耕地面积约133.33万hm^2，受淹人口1 000多万人，其中364座大中型水利水电工程淹没耕地74.27万hm^2，受淹人口625万人，还淹没大量的房屋、工矿企业和各类专业设施等。许多大型水库淹没耕地达1万hm^2甚至2万hm^2；受淹人口几万人、十几万人甚至30多万人。成片成片的农田，数以百计的村庄、集镇，甚至县城被淹没，直接影响到水库淹没区的社会稳定和经济发展。因而,移民搬迁和他们的生活、生产安置问题,成为大中型水利水电工程极大的政治任务和经济任务。认真处理水库淹没问题、妥善安置移民的生产与生活、恢复当地经济发展是每一个大中型水利水电工程建设的重要组成部分,也是水利水电工程建设的重要课题。

我国水利水电工程水库淹没处理与移民安置状况,与各个时期的政治、经济、社会状况以及人们对移民工作的重要性、艰巨性和复杂性的认识水平密切相关。50 多年来的工作实践,通过吸取正反两方面的经验,我国水库移民方针已由安置性移民方针转变为开发性移民方针,为移民生产生活的发展创造了条件。

我国的水库淹没处理及移民工作,大体可分为以下 3 个阶段。

第一阶段,1950 ~ 1957 年。这是新中国成立后 3 年经济恢复和"一五"国民经济发展计划时期,先后建成或基本建成了官厅、大伙房、梅山、磨子潭、佛子岑、响洪甸、白沙、薄山、狮子滩、流溪河、上犹江、古田一级等大中型水库。由于当时我国经济发展水平较低,淹没区多是农村、山区,经济落后,因此水库淹没实物类别比较简单,主要是耕地、房屋和人口,而且淹没损失也较小。据统计,这个时期 15 座主要的大中型水库总库容为 110 亿 m^3,电站装机容量为 34.5 万 kW,淹没土地 5.35 万 hm^2,受淹人口 29.1 万人。每 1 亿 m^3 库容装机 3 100kW、淹没耕地 483.33hm^2、移民 2 630 人。淹没补偿主要是房屋、个人及集体经营的土地补偿。当时正值土地改革和农业合作化时期,各地政府都或多或少地掌握一部分田地,农民人均耕地较多,荒地也多,可以通过划拨、调剂的方式安置移民,在政策上体现了"等价交换"的原则。当时受淹专业项目很少,且都是由各专业主管部门负责改建,即所谓"自家的孩子自家抱"的处理方式。这个时期移民安置情况总的来说是好的,移民生产、生活恢复很快,没有大的遗留问题。

第二阶段，1958～1977年。这个时期兴建了一大批水利水电工程，建成或基本建成了三门峡、新安江、丹江口、柘溪、新丰江、西津、柘林、富春江、响洪甸、密云、刘家峡、水府庙、风滩、陈村、岳城、陆水、云峰、黄龙滩、青铜峡等大中型水利水电工程，总库容2 350亿m^3，装机容量995万kW，淹没耕地58.33万hm^2，移民491万人，每1亿m^3库容装机4 230kW、淹没耕地248hm^2、移民2 100人。许多工程都是特大型水库，如三门峡水库库容354亿m^3，丹江口水库库容208亿m^3，新安江水库库容178亿m^3，新丰江水库库容139亿m^3。这些大型、特大型水库库容大，淹没面积大，移民多。如三门峡水库淹没耕地6.4万hm^2，移民40万人；丹江口水库淹没耕地2.86万hm^2，移民39万人；新安江水库淹没耕地2.07万hm^2，移民29万人；新丰江水库淹没耕地0.97万hm^2，移民12万人。这个时期修建的大中型水库，不但淹没耕地面积大、淹没区域成片集中，而且淹没实物项目类别多而复杂。如丹江口水库淹没了均县县城、郧县县城；柘溪水库不但淹没集镇多，而且涉及新化县城；丰满水库涉及桦甸县城；云峰水库涉及重要集镇大粟子镇；富春江水库涉及建德县城梅城镇。淹没处理的复杂性也日益突出，如三门峡水库不但淹没了永济县永乐镇，而且还淹没了以古代壁画艺术闻名于世的永乐宫；河北省岗南水库淹没了革命圣地西柏坡；刘家峡水库淹没了著名的炳灵寺石窟，等等。在这十几年里，国家在各个方面的建设均有了较大发展，水库淹没项目增多，公路、铁路、电力、电讯等专业项目增加，但受淹的工业企业仍然比较少。受“大跃进”、“三年自然灾害”和“文化大革命”的影响，这个时期在水库淹没处理工作上，存在规划设计简单化、补偿标准低、工作粗糙的倾向，移民安置工作多靠行政手段处理，进行经济技术论证少，刮“共产风”，搞“一平二调”。因此，除少数水库移民安置工作较好之外，多数水库，特别是“大跃进”时期上马的项目，都不同程度地存在遗留问题，对以后移民工作造成了较大的影响。少数工程移民遗留问题比较突出，有些移民遗留问题至今还未处理好，影响了水库效益的发挥、库区经济的发展和移民群众生产生活的稳定，为库区社会的安定团结留下隐患。

第三个时期，1978年到90年代初。在此期间，国家已经建成或基本建成的大中型水利水电工程有白山、红石、潘家口、紧水滩、葛洲坝、东江、乌江渡、龙羊峡、大化以及安康、万安、岩滩、铜街子、故县、五强溪、隔河岩、宝珠寺、漫湾、李家峡、二滩等水利水电工程，总库容1 000亿m^3左右，装机总量3 000万kW、淹没耕地10.6万hm^2、移民100余万人。每1亿m^3库容装机30 000kW、淹没耕地106.67hm^2、移民1 000人。这个时期，水库淹没的非农业人口增多，专业设施增多，城、集镇增多。如五强溪水库淹没了两个县城，二滩水库淹没一个县城，各大型水库几乎都涉及一定数量和规模的集镇。1978年以后，在中共十一届三中全会的指引下，党和国家的工作重点转移到以经济建设为中心的改革开放上来，经济建设逐步走向法制化，决策民主化，陆续出台了一系列的法律、法规。党中央、国务院十分关心水库移民问题，中央领导多次作出重要指示，要求搞好库区移民工作。原水利电力部党组把做好水库移民工作作为一项重大的整改任务，开展了大量深入、系统的调研工作。

1984年夏季，水利部在烟台召开了第一次全国水库移民工作座谈会，提出了“实行开发性移民的水利水电建设政策”[1]。1984年秋，国务院根据三峡工程和全国水库移民遗留问题处理确定实行开发性移民方针，各级政府、有关部门端正了对水库移民工作的态度，逐步予以重视，并在不断地研究和实施新的移民政策。在组织机构上，水利部成立了移民办，有水库移民任务的省(区)成立了移民局(办)，中国水力发电学会成立了水库经济专业委员会，有的

---

[1]黄友若．水库移民文选．北京：中国水利水电出版社，1997

省(区)还成立了水利学会水库移民工程专业委员会。中央的重视、各方面的努力使水利水电工程水库淹没处理和移民安置不再是一项事务性的工作,而是作为一门学科,开始了系统的"立论、立法、立位"[1]的研究。我国水库移民工作从此进入崭新的阶段。

随着经济体制改革的不断深化,社会主义市场经济体制的逐步建立和发展,对水库移民工作的要求越来越高,根据党中央、国务院的决策,在1986年开始的长江三峡工程重新可行性论证中,水利部组织了从中央各部门、大专院校、科研院直至地方政府的几十名专家、学者、工程技术人员、政府官员对14个论证专题之一的水库移民进行了历时3年的可行性论证,开创了水利水电建设事业新的一页。三峡工程水库移民专题可行性论证中第一次提出并研究了移民安置环境容量的课题,第一次全面采用卫星和彩红外航片进行移民安置土地资源解释,第一次进行库区移民安置区生态与环境评价等。随着对外开放的扩大,不少水利水电工程使用了世界银行等国际金融机构的贷款,按照世界银行要求,开始重视移民安置规划的编制,并在二滩水电站、小浪底水利枢纽、水口水电站、珊溪水库工程项目建设中推行移民工程监测评估制度。对我国水库淹没处理和移民安置法制化、制度化、科学化和规范化建设,起到了极大的促进作用。为适应经济体制改革和社会主义市场经济发展的需要,1991年国务院颁布了《大中型水利水电工程建设征地补偿和移民安置条例》(以下简称《大中型水库移民条例》),1992年国务院批转了国家计委《关于加强水库移民工作的若干意见》,1993年针对长江三峡工程建设移民安置颁布了《长江三峡工程建设移民条例》(以下简称《三峡移民条例》)。当前,虽然在水利水电工程建设中某些地方重工程、轻移民的现象仍然存在,水库淹没处理补偿中也存在侵犯移民权益,特别是农村移民权益

---

[1]黄友若.水库移民文选.北京:中国水利水电出版社,1997

的问题,在移民安置中以主观意志代替社会经济规律、代替科学论证的现象时有发生,但在总体上,经过许多部门、单位、水库移民工作者的不懈努力,我国水利水电工程淹没处理及移民安置工作在理论研究、方针政策、安置模式、管理体制等方面,都跨上了一个新台阶。

第二节　水库淹没处理内容及任务

水库淹没处理是水利水电工程建设的重要组成部分,移民安置是水库淹没处理的核心。与一般的工程项目占地不同,水利水电工程水库由于集中成片淹没而使大范围陆域变为水体,完全改变了该地域的生态与环境属性。同时水库淹没涉及城镇、农村,以及工业、农业、交通、电力、电信等国民经济的各个部门,一定范围内还打乱了该地域的行政区划,影响当地社区结构乃至居民的风俗、习惯。因此,水库淹没处理的目标是调整该地域产业结构和布局,恢复与改善社区结构和交通、信息网络,发展社会生产力,妥善安置城乡移民。水库淹没处理和移民安置直接关系到移民群众的切身利益,关系到当地社会经济的发展和社会的安定,还直接影响到工程建设的成败。

根据我国已颁布的《大中型水库移民条例》、《三峡移民条例》、原水电部 1984 年制定的《水利水电工程水库淹没处理设计规范》(以下简称 SD130—84《规范》),以及世界银行、亚洲开发银行、前苏联关于水库淹没处理设计的规定,水库淹没处理任务可以归纳为以下几方面:

(1)合理确定水库淹没和淹没影响范围;

(2)调查、核定淹没和淹没影响的对象及其实物指标;

(3)调查研究移民安置环境容量;

(4)评价水库淹没及移民搬迁对库区生态与环境影响,并提出减小负面影响的对策措施；

(5)评价水库淹没对库区社会经济的影响,规划移民迁建布局,恢复并改善库区交通、电力、信息网络,通过前期补偿、补助,后期生产扶持,使移民生活水平不低于搬迁前的水平,并为今后发展创造条件；

(6)正确处理中央、地方、集体、移民之间的利益关系,根据国家有关政策法规,合理估算水库淹没和移民安置补偿投资；

(7)科学合理地制定水库淹没处理及移民安置计划,保证移民工程进度与枢纽工程进度相衔接,保证工程顺利进行。

水库淹没处理和移民安置是一项涉及面广、政策性强、影响深远的社会、技术、经济的系统工程。

第三节　水库淹没处理补偿政策

水利水电工程水库淹没涉及国民经济的各个方面和部门,水库淹没处理政策标准也涉及到国家许多方面的政策,因而在处理水库淹没问题时要遵循国家有关的法律、法规和技术规范。

水库淹没实物对象主要为土地、房屋、城镇、居民点、工矿企业和公路、港口码头、电力、电信、邮政、小型水利工程,以及天然气、煤气管线和文物古迹等。根据现行的有关法律、法规和技术规范,主要淹没实物对象补偿政策标准如下。

一、水库淹没处理原则与补偿政策

(一)征用土地补偿

淹没土地是水库的基本特征。水库淹没和移民搬迁占地都属国家基本建设征地,《中华人民共和国土地管理法》(以下简称《土地管理法》)第四十七条对基本建设征地补偿作了如下规定：

征用土地“按照征用土地的原用途给予补偿”。对征用耕地,不但规定了耕地补偿费由土地补偿费、安置补偿费以及地面附着物和青苗补偿费四个部分组成，并且规定了征用耕地的土地补偿费和安置补偿费的计算办法和标准。对征用其他类土地的补偿费标准，由各省、自治区、直辖市参照耕地补偿费标准制定；对征用城郊菜地，规定用地单位应按照国家有关规定缴纳新菜地开发建设基金。

对于大中型水利水电工程建设征地，《土地管理法》第五十一条规定："大中型水利水电工程建设征用土地的补偿费和移民安置办法，由国务院另行规定。"1991 年国务院颁布了《大中型水库移民条例》，对征用土地的补偿费作了具体规定。1999 年修订的《土地管理法》颁布后，《大中型水库移民条例》正在修订中。

(二)房屋及附属建筑物补偿

房屋是水库淹没的主要实物类别。关于房屋的补偿，在原水利电力部 SD130—84《规范》、原电力部《水电工程水库淹没处理规划设计规范》(以下简称 DL/T5064—1996《规范》)、《大中型水库移民条例》和《三峡移民条例》中都有具体明确规定。对照两个条例、两个规范，可以看出对房屋补偿的政策标准是按原面积、原结构和原质量的重建价扣减可利用旧材料价后进行补偿。

关于拆迁房屋旧料利用问题，由于社会经济发展，房屋结构、建筑材料的改变，迁建房屋很难利用拆迁旧料。鉴于此，三峡工程库区受淹房屋、附属设施迁建补偿计算中，基本按房屋重置全价补偿，不再扣除可利用旧料的价值。

(三)城市、集镇、居民点迁建用地与基础设施补偿

对受淹城市、集镇的迁建，应考虑在社会经济发展的形势下城镇本身及其服务功能不能复制的具体特点，新城镇、集镇、居民点迁建用地和基础设施补偿标准，应分别按照《城市规划法》、《城市用地分类与规划建设用地标准》、《村镇规划标准》等有关法规和技术规范进行规划，并按有关主管部门审查批准的迁建用地规模和迁建范围、基础设施建设项目的规模和标准计算补偿费。超过审批规模和标准的投资,由地方政府自行解决。

各规范、条例中房屋及附属建筑物补偿标准对比见表1-1。

表1-1　各规范、条例中房屋及附属建筑物补偿标准对比

项目	SD130—84《规范》	《大中型水库移民条例》	《三峡移民条例》	DL/T5064—1996《规范》
农村房屋及附属建筑物	农村房屋及附属建筑物(如炉灶、厕所、圈舍、围墙等)重建费。此项一般按原面积和质量标准,扣除可利用旧料后的重建价补偿	(未见具体条文)	住宅拆迁补偿费,按照农村房屋补偿标准包干到户,由农民自建……	按调查的建筑物面积、结构类型和质量标准,扣除可利用旧料后的重建价格计算
城镇房屋及附属建筑物	(没有具体条文)	需要迁移的企事业单位,其新建用房和有关设施按原规模和标准建设的投资,列入水利水电工程概算;扩大规模和提高标准需要增加的投资,由有关单位自行解决	按国务院《城镇房屋拆迁管理条例》规定执行	1.居民个人所有的房屋及附属建筑物搬迁费和其他费用,按照农村补偿费的有关项目和原则,分项计算。 2.行政事业单位的房屋和附属建筑物,按调查的数量、结构形式,扣除可利用旧料后的重建价计算。搬迁运输及物资损失按运输距离和运输方式计算

对受淹城市、集镇、居民点迁建用地与基础设施补偿标准的认识是有一个过程的，在SD130—84《规范》及《大中型水库移民条例》中，对补偿政策标准和补偿费计算的提法都比较笼统与含糊，反映了在此之前水库淹没处理中接触城镇淹没情况比较少和对城镇功能认识不足的局限性。

在三峡工程库区内，有着大批受淹城、集镇需要迁建。随着社会经济的发展、国家法制建设的逐渐完善以及法制意识的加强，在《三峡移民条例》中，虽然有关城市、集镇迁建的条文文字不多，但十分明确地规定，要依法编制城市迁建规划。随着三峡库区移民安置规划的进行，有关城镇迁建的规定也逐渐具体和细化。这一点已在1996年原电力部颁发的DL/T5064—1996《规范》中有了一定的反映。

各规范、条例有关受淹城镇、居民点迁建用地和基础设施补偿标准见表1－2。

(四)受淹铁路、公路、港口码头、电力、电信等专业设施的补偿

SD130—84和DL/T5064—1996两个规范都非常明确地规定，专业设施补偿如同对房屋建筑补偿一样，按原等级、原标准、恢复原功能的重建造价确定。扩大功能增加的投资由各部门自行解决。各规范、条例中专业设施补偿标准对比见表1－3。

(五)受淹文物古迹保护补偿费

文物古迹是人类重要的历史文化财富，是不可再生的珍贵资源。在水库淹没处理中，应根据《中华人民共和国文物保护法》，对受淹文物古迹进行鉴定，根据不同文物类型和其历史、文化、艺术价值及保存现状，确定不同的保护方案，予以补偿。

对地面文物，应根据其历史价值、科学价值、艺术价值和环境特征，以及实际保存状况，经分析论证，决定是防护、搬迁复建还是留取构件或留取资料，相应费用列入移民经费。

表1-2　各规范、条例中受淹城镇、居民点迁建用地和基础设施补偿标准对比

项目	SD130—84《规范》	《大中型水库移民条例》	《三峡移民条例》	DL/T5064—1996《规范》
有关条文内容	1. 城市、集镇、居民点占地标准和基础设施补偿标准在SD130—84《规范》中规定的并不明确，只提到“新集镇应统一规划，在原有规模的基础上应留有必要的发展余地” 2. 对淹没城镇和集镇的迁建补偿费，含糊地提到“包括新址征用土地的补偿费”、“市政设施改建费”	1991《大中型水库移民条例》规定，需要迁移的城镇，应当按照有关规定审批，按原规模和标准新建城镇的投资，列入水利水电工程概算；按国家规定和标准新建城镇扩大规模和提高标准的，其增加的投资，由地方人民政府自行解决	第十六条，迁移城镇依法编制城市规划……按照移民安置规划对迁移城镇给予的迁建补偿费，列入移民经费；因扩大规模和提高标准超过迁建补偿费的，超出部分由有关地方人民政府自行解决	1.城镇和集镇迁建，应本着原规模原标准的原则，明确淹没处理方案，选择迁建新址，确定规划人口和用地规模，参照国家规定的工作程序编制各阶段迁建规划 2.城镇和集镇迁建规划人口，宜按规划水平年的搬迁人口、自然增长和机械增长人口及新址原有人口确定。经移民生产安置规划，需要进入城镇或集镇就业的移民按机械增长计算 3.城镇和集镇的用地规模，应根据原址用地面积、参照国家和省、自治区、直辖市的有关规定分析确定 4.城镇和集镇迁建规划的补偿投资，列入水电工程概算，因扩大规模和提高标准超过补偿投资的，超出部分由地方人民政府自行解决 5.集镇：①新址征地和场地平整费，按照迁建规划新址占地移民的补偿、补助费和场地平整、挡护墙分项计算；②公用设施恢复费，指集镇规划区内的街道、排水、照明、环卫、农贸市场等设施，本着原规模、原标准的原则，结合迁建规划分项计算 6.城镇迁建补偿费：①新址征地及场地平整费，按照集镇的该项原则分项计算；②公用设施恢复费，指新址供水、供电、电信、连接道路等所需费用，本着原规模、原标准的原则，结合迁建规划分项计算；③市政设施恢复费，指城镇规划区内的主要街道、排水、照明、环卫、农贸市场等恢复建设费，本着原规模、原标准的原则，结合迁建规划分项计算

表 1-3　各规范、条例中专业设施补偿标准对比

项目	SD130—84《规范》	《大中型水库移民条例》	《三峡移民条例》	DL/T5064—1996《规范》
铁路、公路、电力、港口、电信、专业项目	1.需恢复、改建的,应根据原有线路状况和等级结合水库淹没或影响的具体情况,进行技术比较,选择合理方案,除按原有等级和标准修建外,还应考虑原有设备和旧料的利用,经主管部门同意,不需修建、恢复、改建的,应将原线路的设备材料及其建筑物拆运至商定地点 2.恢复改建费,一般按原有规模(等级)和标准,考虑可利用的设备和材料的重建造价给予补偿	(未列条文)	1.受淹的铁路,公路、航运、电力、电信、广播电视设施,需要复建的,应按原规模、原标准或者恢复原功能的原则,提出经济合理的复建方案。复建所需投资列入水电工程补偿投资;扩大规模、提高标准增加的投资,由有关单位自行解决。不需要复建或难以复建的,经主管部门同意后,应根据淹没影响的具体情况,给予合理补偿 2.受淹铁路、公路、电力、电信、广播电视线路的复建补偿费,按原线路的等级和标准,以选定的复建方案分项计算新费用 3.航运设施复建补偿费,根据淹水前通航情况,码头渡口原有设置状况,考虑蓄水后居民点规划,分项合理计算费用	需要迁移的专业项目按原规模、原标准(等级)、恢复原功能的经费列入移民投资。扩大规模、提高标准(等级),需要增加的资金,由有关部门自行解决

对受淹的地下文化遗址、古墓葬以及具有科学价值的古脊椎动物化石和古人类化石地点，在经勘探、鉴定、论证其价值和级别的基础上，按照“重点发掘，重点保护”的原则进行保护或发掘。其经费按文物发掘的有关标准计算，经审查后列入移民工程投资，或者报上级计划部门解决[1]。

（六）受淹工矿企业补偿

受淹工矿企业的补偿标准，按原规模、原标准、恢复原有生产能力所需的投资列入水利水电工程概算补偿；扩大规模、提高标准进行技术改造需增加的资金由各单位自行解决。这个政策标准一直是比较明确的，但长期没有资产补偿理论的指导，在 1993 年之前没有形成规范性的计算办法。

二、受淹工矿企业的补偿政策

对受淹工矿企业的补偿，我国的水库淹没处理政策中非常明确地规定，按原规模、原标准恢复重建的投资列入工程概算；因扩大规模、提高标准需增加的投资，由各单位自行解决。但由于长期缺少补偿理论指导和相应的计算办法，因而不能进行规范性的操作，也难以做到公平合理、公允地补偿。

（一）原水电部 SD130—84《规范》关于工矿企业补偿的规定

该规范在三峡工程论证和初设阶段实行，其中规定：“工矿企业的迁建，应根据原有的规模和标准，提出迁建规划。迁建时应利用原有设备和旧料，紧缩工期，减少损失。经主管部门同意，不需恢复、重建者，也应将原有设备、材料及其建筑物拆运至库外商定地点”；“工矿企业……的迁建改建费，一般按原有规模（等级）和标准，考虑可利用设备和材料后的重建造价给予补偿。凡结合迁建而扩大规模、提高标准、更新设备需额外增加的投资，应由有关部

[1]《中华人民共和国文物保护法》第二十条。

门自行解决。凡已失效、停产或不需恢复重建的企业及其设施，只计算拆运费”。

SD130—84《规范》虽提出了明确的补偿政策标准，但没有明确补偿理论与计算办法。其中一些有关计划经济模式的规定，已不适应社会主义市场经济的形势。如“失效、停产或不需要恢复重建的企业及设施”如何界定、“只计算拆运费”如何计算等问题均无明确规定，因此很难执行。

（二）《大中型水库移民条例》关于工矿企业补偿的规定

1991 颁布的《大中型水库移民条例》规定：“需要迁移的企事业单位的新建用房和有关设施按原规模和标准建设的投资，列入水利水电工程概算；因扩大规模提高标准需要增加的投资，由有关单位自行解决。”

该条例对受淹工矿企业补偿，提出了与 SD130—84《规范》相同的政策标准，且删除了落后于经济改革形势的部分规定，但仍然没有明确补偿理论和计算办法。

（三）《三峡移民条例》关于工矿企业补偿的规定

1993 年国务院颁发的《三峡移民条例》中规定：“因三峡工程建设需要迁移的企事业单位，可以结合技术改造和产业结构调整进行统筹规划和迁建，按原规模和原标准建设所需要的投资，按照重置价格，经核定后列入移民经费；扩大规模和提高标准需要增加的投资，由有关单位自行解决。”

《三峡移民条例》，首次明确提出工矿企业按重置价格补偿的原则。市场经济的观点在此已有了初步显现。

（四）原电力部 DL/T5064—1996《规范》关于工矿企业补偿的规定

1. 关于工矿企业搬迁规划

该规范规定：“需要复建的工矿企业，可以结合技术改造和产业结构调整进行统筹规划和复建。按原规模、原标准复建所需要的投资,列为水电工程补偿投资;扩大规模、提高标准需要增加的投资,由有关单位自行解决。对于不需复建或难以复建的工矿企业,应根据淹没影响的具体情况,给予合理补偿。"

2. 企业迁建补偿费

(1)乡村企业单位迁建补偿费。"按照调查的房屋面积及附属建筑物数量和原有规模、标准,扣除可利用的旧料后计算。物资搬运费及搬运期间停产损失费,按照迁移距离、搬迁时停产状况分项计算"。

(2)集镇工商企业迁建补偿费。"按照农村乡村企业迁移补偿标准和原则分项计算"。

(3)城镇工商企业迁建补偿费。"包括房屋及附属建筑物、不可搬迁的设施补偿费,按原规模和原标准计算补偿。物资设备运输费和停产损失等项费用,按运输距离、方式和停产时间分项计算"。

(4)工矿企业复建补偿费。"按照复建规划,分项计算"。

DL/T5064—1996《规范》是在 SD130—84《规范》十几年后制定的,它反映这期间改革开放、社会主义市场经济的发展在水利水电建设方面产生的一些变化和相应的工作进展,特别是在三峡工程和小浪底工程初设开始之后,根据水库移民工作研究的新情况、新成果,充实了很多内容。

该规范提出了关于企业、工商企业的补偿政策标准和计算内容。但是从上文(4)款条文来看,并未完全吸收这期间关于受淹工矿企业补偿理论与计算办法的相关成果,而且在企业的分类和补偿条文的规定中,具体的补偿和计算办法都没有明确规定。

第四节　水库淹没处理补偿投资概算简述

水库淹没处理补偿投资概(估)算是水库淹没处理与移民安置规划重要成果之一,是水利水电工程项目总概算的组成部分,是工程财务和经济评价的重要因素,它的编制要依据国家有关法律、法规和水库淹没处理补偿投资概(估)算编制办法进行。

一、补偿投资构成

水库淹没处理补偿投资包括:①农村移民安置费;②集镇迁建补偿费;③城镇迁建补偿费;④工矿企业迁建补偿费;⑤专业项目复建工程补偿费;⑥环境保护工程费;⑦防护工程费;⑧库底清理费;⑨其他费用;⑩预备费;⑪建设期贷款利息;⑫有关税费等。

二、补偿投资编制依据

补偿投资的编制依据如下:

(1)《水电工程水库淹没处理规划设计规范》;

(2)《水利水电工程水库淹没处理设计规范》;

(3)《大中型水利水电工程建设征地补偿和移民安置条例》;

(4)国家及省、自治区、直辖市颁布的有关法律、法规;

(5)国家有关部、委颁布的相关规范、标准、定额、规定;

(6)水库淹没处理及移民安置规划报告、有关设计文件、设计图纸;

(7)有关合同协议;

(8)其他。

三、补偿投资概(估)算编制办法

水库淹没补偿投资主要有上文所述的12类,其中前8类为直接费。在直接费类中,农村移民安置费、集镇迁建补偿费、城镇迁建补偿费、工矿企业迁建补偿费、专业项目复建工程补偿费等五项补偿投资,均以淹没实物指标或迁建、复建规划指标,按有关规范、规定、标准进行计算,计算方法在SD130—84《规范》或DL/T5064—1996《规范》中,都列有详细分项计算说明及参考表格。环境保护工程费、防护工程费、库底清理费等三项补偿投资,均以淹没处理规划指标或设计工程量进行计算。其他费为间接费,包括勘测规范设计实施管理、技术培训、科研、监理等费用,是按直接费的一定费率进行计算的,在上述两个规范中均列出了相应的费率范围。预备费包括基本预备费和价差预备费两项。基本预备费是按补偿投资构成的前9项"费用总和乘以费率计列。其中费率在预可研报告阶段可取20%,在可行性研究报告阶段可取10%,招标设计阶段可取5%"。价差预备费按照枢纽工程概(估)算编制年所采用的价差预备费率计算。20世纪90年代以后,有的水库工程投资管理,如长江三峡工程投资管理实行"静态控制、动态管理"的新办法,不计这笔费用。建设期贷款利息,按照补偿投资构成的前10项之和以及贷款利率,并按照分年投资规划强度,逐年计算应付利息(但自有资金和国家拨款资金不计利息)。由于此项费用不直接用于水库淹没处理,且不属水库淹没还贷,目前多数工程在水库淹没处理中不列此项费用。有关税费,主要是指与征用土地有关的税费,如耕地占用税、基本农田保护费、新菜地建设基金等,均不属于水库征地移民补偿范畴。具体到某个水利水电工程建设项目,是否计列这些税费以及计列标准,应按国家规定和实际情况而定。

在水库淹没处理补偿投资概(估)算的12大类补偿项目中,惟有工矿企业迁建补偿计算方法在两个规范中均未明确,因而在实际操作中也没有一个统一的、规范性的办法。

水库淹没处理补偿投资概(估)算的工作深度,要符合工程建设项目各设计阶段的要求。在预可行性研究阶段,则可比以上要求略粗,主要是以水库淹没实物指标为基础,结合移民安置去向,采用分项扩大指标估算静态投资和总投资。初设阶段,要根据各大类、各项规划工作的成果分项核定概算。

四、淹没工矿企业补偿费计算办法

对受淹工矿企业搬迁补偿费的确定,如果从勘测开始到按原规模、原标准逐厂完成设计、作出概算固然较为准确,但其工作量之大,所耗费时间、人力、物力、财力之多,是难以想象的。而且,由于工矿企业不可能按原样复制进行迁建,因而这种处理办法是不切合实际的。长期以来,工矿企业淹没补偿投资计算缺乏补偿理论的指导,没有一个规范性的计算办法,各设计单位在规划设计中处理这类问题时,主要依靠经验进行处置,因而,很难保证科学、客观、公正和公允,也无法进行对比与审查,从而遗留下许多难以处理的问题。

以往的工矿企业补偿投资计算办法主要有以下几种。

(一)典型测算法

对库区一批企业中的一个或几个全迁企业进行搬迁补偿经费测算,并将其固定资产的历史成本作为参照本底进行对照,得出比例指标,然后以点代面,推算全库区工矿企业的总补偿费。如果有足够代表全库受淹企业的若干典型,这个办法可以大致框算出全库区受淹工矿企业的总补偿费。在三峡工程 150m 方案可行性研究中用过与此类似的方法。

这种方法的不足之处是:第一,代表性工矿企业很难选;第二,对仅局部受淹工矿企业很难适用;第三,对具体到一个企业的补偿费额度,绝对不能套用典型企业的对比指标进行框算。

(二)物价指数法

以企业原造价(或固定资产原值)的历史成本为参照,按固定资产形成年到概算编制所采用的价格水平年之间，从国家公布的单项（类）或综合物价指数，估算价格水平年的造价（或固定资产现值），作为受淹工矿企业补偿依据。在三峡工程重新论证阶段采用过此类方法。1987 年的三峡工程水库淹没处理与移民安置专题中，水库移民总投资为 110 亿元，其中工矿企业补偿费为 18.95 亿元；1992 年全国人大通过的《三峡工程可行性研究报告》中，水库移民总投资为 185 亿元，其中工矿企业补偿费为 32.41 亿元，两者均是采用与此类似的方法框算出来的。

这种办法操作简便，但要求财务管理规范，原始财务账目齐全、真实、可靠，而且设备购置年份与概算中的价格水平年价格比较接近。因此，采用这种方法进行工矿企业补偿投资计算是有一定限制的，可以适用于 80 年代之前物价稳定时的工矿企业补偿费计算。进入 90 年代以后，市场物价涨、落变化较大，设备淘汰、更新很快，物价指数已很难适用。如三峡工程库区有很多工矿企业，固定资产形成历史一般 40～50 年，就很难采用恰当的物价指数进行计算。此外，也不能用物价指数来测算各个工矿企业的补偿投资。

（三）扩大指标框算法

根据工矿企业主要产品的设计产量，或其他主要特征指标的综合投资单价，框算出新建同一规模工厂所需投资补偿值。这类方法只适宜做宏观计划，多用于水库移民安置项目建议书或预可研报告阶段。

（四）申报审查法

由工矿企业单位申报补偿费，设计单位负责核查。由于企业在申报中，往往存在多报现象，设计单位与企业提出的补偿额差异很大，在这种情况下，往往由上级行政领导运用行政手段拍板决定，因而该方法缺乏科学性，往往遗留的问题较多。

第五节 前苏联淹没影响工矿企业的处理原则与补偿标准[1]

前苏联十分重视水库淹没处理，在政策、法规建设上做了许多工作。我国最早的水库淹没处理概念和方法借鉴了前苏联的经验，最早的一些水库工作者，许多都受过前苏联专家的培训。在SD130—84《规范》中还可看到这种影响的痕迹。

前苏联政府多次作出决议，要求苏维埃政府各部门对工程要不断完善规划、勘测与科研，精心设计。水库淹没处理的设计与实施受到高度重视。

一、淹没处理依据

前苏联为水库淹没或施工临时占用土地所造成的损失和损失处理，颁布了许多法规和条例。

(1)1968年，苏联最高苏维埃颁布《苏联及加盟共和国土地法大纲》；

(2)1974年，苏联最高苏维埃颁发《国家与社会需征用土地的损失和农业生产损失补偿办法》；

(3)1974年，苏联政府三部联合颁布《非农业需要征用或临时占用土地的损失和农业生产损失补偿条例》；

(4)1976年，苏联颁布《水电站和水库库区淹没处理实施规定》。

---

[1]前苏联A.A.科罗布琴科夫等著．水库淹没处理设计与实施.1989年8月，刘喜民等译

二、淹没处理原则

前苏联的淹没处理原则如下：

(1)正常蓄水位以下的库盘和库边非永久性的淹没范围，由于淹没影响不具有进行建设和农业生产的正常条件，如果采用工程防护不经济的话，就要在设计中给原土地使用者补偿其农业生产损失，并处理好有关建筑物和工程设施的向外搬迁问题。

(2)对于由于库岸再造变形、库水浸润或下游河道崩塌、水位变化使原建筑物失去作用等范围内的农田、工矿企业、工程建筑物，在防护无效或不经济的情况下，应征用这个范围内的土地，解决该范围内建筑物的搬迁问题。变形区范围按 10 年变形预报值来确定。

(3)国家或社会对需要征用或临时占用农业用地的原土地使用者损失，应按规定程序，由那些利用或占用土地的企事业单位给予补偿。

三、淹没处理政策标准

现将前苏联有关法规文件对淹没对象划分规定中房屋、建筑物、工程设施的淹没处理政策归纳如下：

(1)位于征用或临时征用地界内的，或者虽在界外但已失去效用的住宅、文化生活设施、生产和其他用途的厂房和建筑补偿投资，均需按其计及损耗在内的平衡表价值进行评估。

(2)征用土地的企事业单位，“可根据有关方面之间签订的协议，在合理的情况下，也可对这些土地上的建筑物和其他设施不采取补偿方式，而用自己的力量和手段，进行拆、迁或新建相应工厂、建筑物和其他对象。在这种情况下，迁建工程的预算造价(含更新和扩建费),与被迁对象平衡表价值(计及损耗)的差额,由土地使用者支付。把建筑物和其他对象迁移到新址恢复重建以替代在原地的拆除,是否合理的问题,由评估委员会裁决”。

(3)被拆迁的生产性和其他建筑物、工程设施内所装置设备的损失计算原则是:对能继续使用设备进行拆卸、包装,运往库区外新建、复建的生产性和其他建筑物工程设施内进行重新安装,并达到原有技术状态,所需的补偿资金可通过补偿评估确定;如果设备陈旧,确认继续使用已不经济,则不再补偿其新址安装费。

(4)拆迁生产用房和其他厂房与建筑物中可移动的装置和器具(仪表、机器、运输工具等),只补偿其运到库外指定地点的运输费用。

(5)征用土地上的工程设施(公路、铁路、管道、桥梁等)的补偿费,按其原用途迁出库区恢复使用的复建费用进行补偿。

(6)下列情况的征用土地上的房屋、建筑物补偿费处理办法:

若将这些房屋和建筑物搬迁到新址,技术可能,经济合理,则可将其搬迁和恢复到原规模所需的费用列入水库建设预算中。

若以新建代替拆除在经济上是合理的,则水库预算只计入拆除房屋和建筑物按平衡表价值(考虑损耗)计算的费用。按拆除对象功能新建的造价与其平衡表价值(考虑损耗)之间的差额,由新建单位承担。

若此类房屋和建筑物在新址恢复重建是不合理的,则按它们的平衡表价值(考虑损耗)给所有者进行补偿。

(7)厂房建筑物的拆除损失和搬迁复建费用,照例根据平衡表价值扣除损失价值进行补偿。

固定资产的平衡价值,系指新建工程竣工后所确定的初始价值(即固定资产原值),或是现有固定资产在大修和更新后确定的价值，或是重新估价后的价值。固定资产的损失，是在运用过程中的实际损失价值，按固定资产分类及以平衡表价值的百分率表示的折旧定额进行计算。

四、确定淹没损失补偿的评估制度

在前苏联水库淹没及损失处理办法中，规定了评估委员会评估制度。农业生产损失，农场内部或农场之间的土地调整，房屋和建筑的拆除、搬迁、新建的合理性，设备能否拆迁使用等，都要由评估委员会裁决。

评估委员会由水库所在地苏维埃区（市）执委会组织，由苏维埃区（市）执委会一名委员（任主席）、国家指派负责土地利用与保护的督察员、苏维埃区（市）财政处和市政处的代表、被征用土地或临时占用土地的原土地使用者代表、与征用土地有关各企业单位的代表，以及苏维埃区（市）执行会监察部门的代表组成。

为了给评委会的审查进行材料准备，一般成立一个工作组。工作组的人员组成由执委会确定。工作组的组成一般有评委会、土地使用者、设计部门的代表、技术财产登记管理单位的专家、苏维埃区（市）执委会监察部门的专家等。

前苏联水库淹没处理具有非常典型的计划经济特征。

五、受淹工矿企业调查评估表格

以下摘选了前苏联水库淹没工矿企业补偿工作中采用的一些主要调查表、评估表和统计表（表 1－4—表 1－12），仅供参考。

表 1－4　　　　库区(或下游影响区)某工业企业概况

编号	调查题	答案
1	2	3
1	企业名称与所在地	
2	主管从属关系	
3	投产时间	
4	主要产品	
5	设计能力	
6	调查前最后一年实际产品产量(统计表数)	
7	20××年的计划产量	
8	车间组成:主要车间、辅助车间、附属车间	
9	最后年度报表内的固定资产价值(计及损失)(以千卢布计), 其中:生产厂房及建筑物 设备 现有资金 其他固定资产	
10	原料供应(含原料产地概况)保证程度	
11	原料运输方式与距离	
12	供热设备	
13	动力设备	
14	供水设备	
15	产品销售地区及主要用户	
16	成品外运方式	
17	企业发展(或改造)前景及计划投资	
18	关于迁址企业复建是否合理的考虑,包括:可能迁建的地址、干部职工、原料、燃料、动力及其他的保障条件,所需投资	
19	关于采取工程防护、防止淹没、浸没的考虑	

表 1－5　拆除或搬迁厂房、建筑物内的安装设备评估调查

编号	厂房建筑物名称	内装设备名称	技术特性		价值(卢布)			建议防护、搬迁、恢复、报废的理由
			制造厂名、商标、出厂和安装日期、功率、生产率及其他	损失度(%)	平衡价值(20××年)	损耗价值(20××年)	据计算应补偿费用	
1	2	3	4	5	6	7	8	9

表 1－6　工程构筑物、福利设施及其他受淹对象的评估调查

编号	受淹对象名称	用途与技术特性	损失度(%)	价值(卢布)			建议工程防护、拆除、搬迁、恢复或新建的理由(指出序号)
				平衡价值(　　年)	损失价值(　　年)	据计算应补偿费用	
1	2	3	4	5	6	7	8

表 1－7　房屋、建筑物技术经济指标汇总

序号	建筑物名称	建筑材料	楼层数	建筑年份	损失率(%)	面积(m^2)	体积(m^3)	按估价标准拆除费用	搬迁费用
1	2	3	4	5	6	7	8	9	10

表 1－8　拆除或搬迁住房、建筑物登记造册报告

序号	结构部件名称	部件特征(建材、结构、装修等)	部件的技术状态(良好、尚可、变形、沉陷、裂缝、隆起、腐朽、破败等)	标准建筑的比重	损失率(%)	
					单个部件	整个建筑物
1	2	3	4	5	6	7

表 1-9 **附属建筑物**

<table>
<tr><td rowspan="3">序号</td><td>建筑物名称</td><td colspan="4"></td><td colspan="4"></td></tr>
<tr><td rowspan="2">结构部件名称</td><td rowspan="2">建筑材料</td><td rowspan="2">比重</td><td colspan="2">损失率(%)</td><td rowspan="2">建筑材料</td><td rowspan="2">比重</td><td colspan="2">损失率(%)</td></tr>
<tr><td>单个部件</td><td>整个建筑物</td><td>单个部件</td><td>整个建筑物</td></tr>
<tr><td>1</td><td>2</td><td>3</td><td>4</td><td>5</td><td>6</td><td>7</td><td>8</td><td>9</td><td>10</td></tr>
<tr><td>1</td><td>地基</td><td></td><td></td><td></td><td></td><td></td><td></td><td></td><td></td></tr>
<tr><td>2</td><td>墙壁</td><td></td><td></td><td></td><td></td><td></td><td></td><td></td><td></td></tr>
<tr><td>3</td><td>楼板</td><td></td><td></td><td></td><td></td><td></td><td></td><td></td><td></td></tr>
<tr><td>4</td><td>房顶</td><td></td><td></td><td></td><td></td><td></td><td></td><td></td><td></td></tr>
<tr><td>5</td><td>地板</td><td></td><td></td><td></td><td></td><td></td><td></td><td></td><td></td></tr>
<tr><td>6</td><td>其他</td><td></td><td></td><td></td><td></td><td></td><td></td><td></td><td></td></tr>
<tr><td>7</td><td>折算损失率(%)</td><td></td><td></td><td></td><td></td><td></td><td></td><td></td><td></td></tr>
</table>

表 1-10 **住宅、建筑物统计**

序号	名称					
1	土方工程					
2	地基					
3	外墙和内墙					
4	楼层间的楼板					
5	顶间(阁楼)板					
6	房顶					
7	间壁					
8	地板					
9	各楼层板					
10	窗					
11	门					
12	内装修					
13	外装修					
14	暖气设备					
15	其他					
16	折算损失率(%)					

表 1－11　　建筑物面积、体积和价值计算

轮廓示意图号	建筑物名称	尺寸					损失率(%)	拆除费用		搬迁费预算	概算与预算号
		长(m)	宽(m)	高(m)	面积(m^2)	体积(m^3)		原全价	计及损失率后		
1	2	3	4	5	6	7	8	9	10	11	12
共计											

表 1－12　　拆除或搬迁房屋或建筑物的评估调查

编号	房屋建筑物的名称与用途	技术特性						价值(卢布)				搬迁或新建所在地	建议防护、拆除、搬迁、新建的理由
		建造年份	厂房和建筑物的材料、结构、构件	层数	体积(m^3)	损失率(%)	面积(m^2)	平衡价值(年)	损失价值(年)	据计算应补偿费用	搬迁费用		
1	2	3	4	5	6	7	8	9	10	11	12	13	14

第二章　受淹工矿企业补偿评估特点及必要性

对受淹工矿企业损失如何进行合理补偿，几十年来一直在寻求科学合理的办法。由于过去水库淹没对象主要在农村，工矿企业数量少，工矿企业淹没损失补偿问题不突出，加之淹没工矿企业基本都属国有或集体所有性质，在计划经济条件下补偿一般由政府拍板定案。但是，随着我国经济体制由计划经济向社会主义市场经济体制转变，以及改革开放后社会经济的高速发展，淹没的工矿企业数量多、规模大、资产产权属性多元化，如何对它们的淹没损失进行补偿便成为非常突出的问题。自 20 世纪 90 年代初开始，经过长江三峡工程、黄河小浪底工程水库淹没处理规划设计的探索，以及三峡库区工矿企业搬迁 10 年的实践经验，证明运用资产评估理论和方法对受淹工矿企业补偿投资进行评估是一种较好的办法，能够妥善处理好国家、地方、企业三者之间的利益，维护企业的合法权益。

第一节　水库淹没处理中工矿企业范畴

一、工矿企业类别

企业是一个涵盖非常广泛的社会机构的通用名词。一般来说，一切从事生产经营、独立核算、自负盈亏、独立承担民事责任的经济组织都可称之为企业。按通常的说法，凡在国家各级工商管理机构注册、办理营业执照的经济组织，都属企业单位范畴。

我国企业单位的分类，按隶属关系分为中央部属企业、省(区)属企业、县(市)属地方企业及乡镇企业等；按所有制性质分全民企业、集体企业、股份制企业、个体企业、中外合资企业及外资企业等；按行业类别分，主要有房地产开发企业、铁路运输企业、航空运输企业、交通(公路、水运)企业、军工企业、施工企业、商业企业、邮电通信企业、中介咨询服务企业、工业企业和矿产企业以及旅游、宾馆、餐饮服务企业和金融、证券与保险企业等。可以说，凡是有经济活动的地方就有企业。

二、水库淹没处理中工矿企业的界定

工矿企业包括工业企业和矿产企业两种。在工商管理机构注册、领取营业执照，定性为工业、手工业、煤矿(煤或其他矿)的企业很多，而在水库淹没处理中的工矿企业，一般是指直接从事物质生产活动，并具有相当规模的机器设备和专用设施进行工业化生产的机械、化工、冶金、电子、食品、纺织、造纸、煤矿等独立核算或非独立核算的单位或生产机构实体。

根据这个界定，在水库淹没处理中，不直接从事物质生产活动的公司性企业，工厂、矿山的上级管理单位等，都不属工矿企业处理范围；农村的小煤窑、砖瓦窑、石灰窑、农副产品加工站、竹编社，以及村镇、街道的铁器社、木器社、服装社等手工作坊，由于设备简陋，工艺简单，也不属工矿企业处理范围；一些供销、运输企业和港口、码头，虽然可能拥有较多的设备、设施等固定资产，但它们不从事物质生产，也不属工矿企业处理范围。这些企业由于它们资产构成的特点或生产营运的特点，在水库淹没处理中，或采用行政事业单位，或采用村组副业，或采用商业企业的相应办法计算补偿比较简便。

三、工矿企业特点

(一)直接从事物质生产

依前述标准划分的工矿企业有别于其他企业的显著特点之一,就是能够直接进行物质生产,或制造,或合成,或采掘,即通过物理或化学方法,使一种或数种原材料加工成新的物品或物质,形成新的商品,实现增值盈利。

商业企业只购进和销售商品,通过商品流通实现增值盈利,不对商品的物理形状和化学成分加工、改变。再如金融、保险、证券、信托企业,它们是通过资本经营实现增值盈利,不直接从事物质生产。

许多直接从事物质生产的工厂的上级管理部门,它们并不直接从事物质生产。它们或是通过管理,或是通过流通,或是通过服务,或是仅仅通过资本运作达到盈利目标。它们虽属企业但工作特点、固定资产特点更接近于行政事业单位。因此,这类管理机构在水库淹没处理中亦不按工矿企业对待。

例如,三峡库区某公司,下属四个独立或非独立核算的生产性工厂,淹没补偿投资按工矿企业计算,而其公司机关的淹没补偿则按行政事业单位类计算。

再如,某总公司原是政府的一个局,体制改革后转为公司,其工作特点、固定资产构成仍类似行政事业单位,其补偿按行政事业单位计算更恰当。

(二)有一定规模的机器设备进行工业化生产

有一定规模的机器设备,有严格工艺技术要求并进行工业化生产是工矿企业有别于其他企业的又一标志。

村组企业中的缝纫社、铁器社、竹木工场、砖瓦窑、小煤窑等,虽然也是直接从事物品生产,但由于机器设备少、技术含量低,手工操作,在水库淹没处理中不纳入工矿企业处理范畴而按村组副业进行补偿更为合理。

（三）固定资产构成复杂

工矿企业由于是直接从事工业化物质生产，因此除厂房建筑外，必须具有相当数量的物理加工、化学反应、热力和动力设备或设施类的固定资产，这一类固定资产占总固定资产价值比例比较高。

商业企业、管理性企业、服务性企业，其固定资产主要是房屋，除房屋之外，设备设施比较少，处理比较简单。

（四）生产营运相对复杂

工矿企业需要购进原材料、燃料，通过机器设备，用物理或化学方法制造成新的商品，实现增值盈利。它有专门的技术规程，有严格的工序流程，有连续作业的生产能力，有准确的操作和严格的管理，是一个连接紧密的有机整体，搬迁过程存在停产损失。

商业企业主要是购进和销售商品，通过商品流通实现增值盈利；运输企业主要是完成客、货的运输服务而盈利；宾馆、餐饮更是通过服务收取酬金。它们的生产营运活动相对来说要简单许多。

因此，在水库淹没处理中，一个企业是否划入工矿企业类别，不能仅仅从企业的名称、企业的隶属关系、企业的营业执照来判断，还要从它的固定资产构成、生产经营性质、企业实际规模的真实情况来综合判断。

第二节　补偿评估是资产评估理论和业务的拓展

受淹工矿企业补偿评估，是根据水库淹没处理的特点，运用资产评估理论与方法，经过反复研讨、试点、实践、总结，形成的一套规范性方法体系，是资产评估理论和业务的拓展。

一、资产评估的产生与发展

物资交换是人类社会生活中不可缺少的经济活动，在原始社会就已开始出现，它既是人类社会的重要特征，又是人类社会发展前进的动力。没有物资交换就没有人类社会的发展与进步。等价交换是商品经济的一般原则，为了等价交换就需要对所交换的商品（资产）进行价值评估。

在原始资产评估阶段，在简单商品经济中，以物易物，对作为资产的物的估价是对其交换价值的估计，即一种实物商品使用价值与另一种实物商品使用价值交换数量上的关系或比例。在过去并不久远的年代里，一些偏远地区也还存在这种以物易物的交易方式，如几个鸡蛋换半斤煤油，几个鸡蛋可以换一斤盐。原始资产价值评估阶段，对交换资产的评估，主要是凭借经验对交换商品（资产）的交换价值直观的评估，主观随意性比较大。

在人类社会发展的历史长河中，随着社会生产力的不断提高、商品经济的发展、职业化劳动分工的加强，交换商品的资产种类、交换活动的地域跨度、交换目的、交换形式等，都在不断地增加、扩大，变得日益复杂，甚至就连商品的概念都在大幅度外延。因此，资产价值的评估行为逐渐从市场活动中分离出来，聚合为一种专门化的中介行为，同时产生了以此为职业的专门或兼职的对各类商品和财物进行价值评估的中间人。在 4 000 多年前的古埃及，就有人专门从事类似于现代资产评估工作。在我国西周时代，政府还设立了专门对商品估价的官吏——贾师。贾师类似于我们现在的物价局、工商局，有权检验商品并评估其价格，未经贾师估价的商品不能在市场上出售。西汉时期，汉文帝要求对所有财产进行价值估值，然后按评估后资产价值的一定比例进行征税。旧时的牙商、牙人、经纪人等，都是民间对某类商品进行估价的专职或兼职的估价人员，大牲畜交易市场上常常活跃着他们的身影。古董业中鉴定评估古玩、古字画的人员更是一批特殊的专业人才。这些人的中介工作适应了买卖双方期望的等价交换、公平交易的需要。在我国封建社会,长期存在的典当业虽然存在畸型、不公平的弊端,但它也有一定的资产评估功能。

现代意义的资产价值评估,是百余年来西方国家市场经济机制在社会经济活动中主导地位不断发展的背景上兴起的。以机器和机器体系为生产手段的工业革命,促进了企业制度和市场体系的变化,产生了一系列的实际经济问题,如企业财产公司化、股份化,组织制度与投资者之间信息不对称;生产要素的复杂性与管理人员专业的局限性不适应;金融机构防范风险能力与对货款抵押物鉴定能力不足;财产征税的合理额度与财产价格多变的不同步等。社会经济发展形势,需要一个引入了当代科学技术,具有扎实专业知识、丰富实务经验,公正的社会中介、鉴定服务行业。最早的资产评估机构是在产业革命后的英国出现的。1868 年英国皇家特许英国测量学会的前身成立,1881 年维多利亚女王授予该学会“皇家特许”奖,1921 年又颁发“皇家赞助”荣誉,说明了当时统治者对资产评估机构的重视。

经过一百多年的发展,英国测量学会在英国已形成有 6 万多名会员的全国性行业组织,该学会主要致力于不动产评估,逐渐形成较为严谨的理论和方法体系。与此同时,美国、澳大利亚、加拿大等资本主义国家的资产评估业也迅速发展,先后也都成立了类似的资产评估协会或学会等专业性组织,并对资产评估业实行自律性行业管理。美国的资产评估业在对不动产固定资产进行评估的基础上,开展了对无形资产、企业整体资产在内的广泛的业务评估活动,还成立了自律的教育组织——美国评估促进会,并制定了相应的行业准则 USPAP。澳大利亚的职业评估机构——澳洲评估师及土地经济师机构(ALVLE)有 7 000 名成员。

20世纪80年代以来,世界经济一体化进程的加快,许多国家政治经济体制的变革,使世界范围内的资产评估行业进入一个新的发展阶段。从发达的资本主义国家到许多发展中国家经济发展和政治经济体制变革中的"抵押、销售、购置、信贷、借款、分立、合伙、合资、股票、保险、意外损失、控股权、少数股东权益、国际商务、财务争议、财产税、所得税、继承税、房地产、专业授权、员工参股计划、合作、破产、集体化、证券化"等领域经济活动都需要反映资产真正的现行价值,以维护当事各方的权益,都必须高度重视资产评估的重要作用。因此,许多发展中国家积极引进和研究资产评估理论,培养评估人员,发展本国、本地区资产评估行业,并逐步规范评估行业的管理。许多国家政府也有意识地将资产评估作为宏观管理手段,在不同方面作出了强制性的规定,成为维护国家和公共利益的重要工具。

随着世界经济一体化进程的不断加快,大量不同政治经济体制、不同背景的跨国跨地区经济活动和不断产生的新资产评估市场,需要不断拓宽资产评估理论研究,探索新的领域,抢占新的评估市场。新形势使得即便是传统上资产评估业发达的国家也受到压力与挑战。为了适应各国投资者以及其他经济活动的需求,资产评估领域内,在克服各国和地区间不同评估理论、实务和准则的差别基础上,为当事人提供有质量保证、遵守相同评估准则的服务,各国评估师和评估机构的国际交流及区域性、国际性合作得到了加强,成立了不少区域性、国际性的评估专业组织。如1981年后先后成立了国际评估标准委员会、欧洲评估协会联合会、东南亚联盟评估联合会等,并积极地开展活动。国际评估标准委员会,致力于制定为世界各国所接受的国际资产评估准则,于1994年完成了《国际评估准则》。资产评估的国际化合作发展趋势将使资产评估行业以新的面貌跨入新世纪。

二、新中国成立后我国的资产评估

新中国成立以后,人民政府对公共财物处理的估价工作、司法和行政机构的执法案件估价工作,一直由政府价格行政主管部门承担。为了摸清国家资产的家底及其变化,1951 ~ 1980 年开展了4 次弄清家底、核实国内流动资产和固定资产状况、核销资产损失的清产核资工作。

1988 年我国引进现代意义的资产评估后,于 1992 年开展的第五次全国清产核资工作中,开始引入了现代资产价格、价值评估的方法和程序。

我国现代资产评估行业是在改革开放和建立社会主义市场经济过程中兴起的。这一行业的形成和发展,首先来自于国有资产管理体制改革的需求,是从国有资产评估工作起步的。1989 年 9月,国家国有资产管理局颁布了《关于国有资产产权变动时必须进行资产评估的若干暂行规定》,它是我国资产评估行业诞生的标志。1991 年 11 月,国务院发布《国有资产评估管理办法》,确立了我国资产评估工作的基本依据、方针、原则和政策。1993 年 12 月,中国资产评估协会成立,标志着我国资产评估工作开始从以政府部门直接管理为主,向行业协会自律性管理为主的转变。由于我国政治经济体制改革广泛而迅速的发展,各个方面都对社会主义市场经济中不可避免要遇到的资产评估问题的解决产生迫切要求,各个部门也纷纷出台了资产评估的相关文件与政策,现将主要的归纳如下:

(1)1991 年 11 月,《国有资产评估管理办法》(国务院 91 号令);

(2)1992 年 10 月,《城市房地产市场估价管理暂行办法》,国家建设部;

(3)1993 年 3 月,《关于从事证券业务的资产评估机构资格确

认的规定》,国家国有资产管理局、中国证券监督管理委员会;

(4)1993年10月,《资产评估机构管理暂行办法》,国家国有资产管理局;

(5)1994年4月,《关于统一赃物估价工作的通知》,最高人民法院、最高人民检察院、公安部、国家计委;

(6)1994年11月,《城市房产交易价格管理暂行办法》,国家计委;

(7)1994年,《乡镇企业资产评估管理办法》,国家乡镇企业局;

(8)1995年7月,《关于房地产中介服务收费的通知》,国家计委、建设部;

(9)1995年10月,《城市国有土地使用权价格管理暂行办法》,国家计委;

(10)1996年5月,《商标评估机构管理暂行规定》,国家工商行政管理局;

(11)1996年10月,《关于加强专利资产评估管理工作若干问题的通知》,国家国有资产管理局、中国专利局;

(12)1996年12月,《价格评估管理办法》,国家计委;

(13)1996年12月,《价格评估机构管理办法》,国家计委;

(14)1997年4月,《扣押、追缴、没收物品估价管理办法》,国家计委、最高人民法院、最高人民检察院、公安部。

由于社会主义市场经济活动的需求、政府的重视和各方的支持,资产评估业有了巨大的发展。

据有关部门统计,截止到1996年底,仅经国有资产管理部门确认的资产评估项目达143 339项,评估资产账面净值20 000多亿元,审核确认评估值达30 000多亿元。经国有资产管理部门授予资格的资产评估机构达3 393家,其中具有证券业务资格的资产评估机构达116家。资产评估从业人员55 764人,其中经国家统一认定和考试取得注册资产评估师执业资格的有5 844人。此外，还有 1 000 多家地价评估机构、8 500 多名土地估价师和 7 300 多名房地产估价师。

资产评估业主要服务于以下十几个方面的经济活动：①清产核资；②产权、商品交易；③企业兼并；④企业联营；⑤中外合资合作；⑥股份制经营；⑦资产抵押贷款；⑧资产担保；⑨财产保险；⑩纳税；⑪经营评价；⑫承包、租赁评价；⑬保险理赔；⑭破产清算；⑮拍卖底价；⑯司法和行政执法；⑰资产保全；⑱资产补偿评估等。

经十多年的发展，资产评估业初步适应了我国社会主义市场经济体制中各种经济活动的需要，甚至为特殊经济活动提供了服务。如三峡工程水库淹没工矿企业补偿这个十分特殊的问题，在国家国有资产管理局的大力支持和指导下，根据水库淹没处理原则和政策、资产评估理论与方法、清产核资标准与规定，参照国有资产评估管理办法与程序，经过试点与研讨形成比较规范的补偿评估办法。先在三峡工程库区对 1 549(规划时工矿企业数有调整)家工矿企业进行了补偿评估，以后小浪底工程也采取了类似的办法，都取得了很好的效果。补偿评估成功地改变了水库淹没工矿企业补偿历来无章可循的局面。

我国资产评估业出现时间短，总体上还处在起步阶段，目前存在着管理机构不统一、各部门规章制度相抵触、从业人员素质有待提高等问题。这些都是发展、前进中的问题。国家有关部门和中国资产评估协会正在着手“建立一套适应社会主义市场经济发展要求的资产评估管理体系和运行机制，形成一个法制体系健全、监管体制完善、运行机制合理、执业行为规范、操作技术科学统一的资产评估行业体系”。为此将建立统一的政策法规体系、统一的行业自律管理体系、统一的资产评估方法标准体系、统一的资产评估科研和教育培训体系。使我国的资产评估业成为一个真正独立、客观、公正，与世界接轨的社会中介服务行业，为我国的社会经济发展服务。

三、受淹工矿企业补偿评估的产生

受淹工矿企业补偿评估是三峡工程水库淹没处理中的创造。三峡工程库区受淹工矿企业 1 599 家，在库区经济发展中占有很大比重。这些受淹工矿企业除 32 家属大中型企业外，其余均为小型企业；受淹工矿企业分布在机械、化工、纺织、轻工、建材、军工、电力、造纸、造船、食品、煤矿等行业中，在所有制形式上包括国有企业、集体企业、个体私营企业、中外合资企业等。这些企业经营状况差异较大，淹没程度不同，如何确定其合理补偿是水库淹没处理中的难点。

为了探讨受淹工矿企业的迁建与补偿问题，1991 年 8 月，长江委在编制《长江三峡工程水库淹没实物指标调查大纲》时，曾安排多批水库移民工程技术人员到武汉、宜昌等地，选择与三峡库区规模相近似的不同类型的工厂进行调查，了解当时形势下，各类工矿企业的生产运行、资产、财务的一般特点，编制了受淹工矿企业淹没实物指标调查大纲和调查表格，为估价补偿作了最初的准备。

同时，对国内水利水电工程淹没工矿企业的补偿情况进行了全面分析，认识到以往的一些补偿计算办法，很难妥善处理三峡工程库区这样数量巨大、情况复杂，而且对区域经济恢复和发展影响深远的工矿企业的补偿问题。因此，必须进行进一步的探索。

为此，从 1992 年初开始，在三峡工程论证领导小组的关心下，在国务院三峡建委移民局、原国家国有资产管理局的支持和帮助下，长江委组织移民和资产评估专业方面的专家学者，在学习资产评估理论和水利水电淹没处理和移民安置方针、原则、补偿标准的同时，分析了三峡工程水库淹没工矿企业特征，在总结过去处理类似问题的经验和教训的基础上，于 1992 年 4 月编制了《三峡水库受淹工矿企业改建、迁建补偿投资评估办法》（试行）（以下简称《补偿评估办法》），作为《长江三峡工程水库淹没处理及移民安置规划大纲》的附件，于当年6月初将该办法报三峡工程论证领导小组审查，并向原国家国有资产管理局汇报。根据原国家国有资产管理局评估中心提出的意见，经进一步修改后，于1993年5月正式完成了《补偿评估办法》(送审稿)。

1992年10月，长江委组织一批有资质的资产评估机构和有关专家、学者，包括移民、经济、设备、土木工程等方面工程技术人员共几十人，首先在三峡库区秭归县选择19家受淹工矿企业作为补偿评估试点，接着又在巴东县进行了试点，并多次召开总结会、学术讨论会，根据工作中的具体问题和实际情况完善了《补偿评估办法》，编制了《三峡水库受淹工矿企业改建、迁建补偿评估办法实施细则》(以下简称《实施细则》)。

1994年初，长江委江河资产评估咨询中心成功地完成了三峡工程湖北库区200余家受淹工矿企业的补偿评估。这次补偿投资评估正确地处理了国家、地方、企业三者之间的关系，消除了地方和企业的疑虑，逐渐得到了各方面的理解、支持和好评。三峡工程湖北库区受淹工矿企业补偿评估成果，还为全库区受淹工矿企业补偿投资包干测算提供了方法和依据。

在三峡库区湖北四县受淹工矿企业补偿评估成功的基础上，1994~1995年，长江委江河资产评估咨询中心和国内一些资产评估机构在《补偿评估办法》的指导、规范下，共同完成了三峡工程重庆市库区(原四川省)18个市、县、区1 380家受淹工矿企业的补偿评估，为最后核定这些工矿企业的补偿额度提供了决策依据。

三峡库区受淹工矿企业补偿评估办法，对国内其他大中型水库受淹工矿企业淹没处理也产生了积极影响。如黄河小浪底工程库区787家受淹工矿企业补偿评估工作，先后分两批开展，并在矿业企业补偿评估方面取得了进展。即将开时建设的南水北调中线工程，其丹江口库区受淹工矿企业补偿评估任务已于2003年8月完成。

受淹工矿企业补偿评估工作，由于补偿原则合理、明确，符合国家有关政策和经济体制改革形势,《补偿评估办法》遵循国家相应法规,较为严密、完善,因而评估工作较为规范和科学,成果较为公正、合理,兼顾了国家、地方、企业三者的利益,遗留问题较少,受到地方政府的信任和好评。

目前,受淹工矿企业补偿评估理论和方法已逐步得到水利水电行业主管部门的重视,研究成果已被水利部《水利水电工程建设征地移民设计规范》(报批稿)所采纳。2002 年,原国家经贸委颁布的《水电工程设计概算编制办法及计算标准》中要求"对受淹企事业单位迁建补偿单价,根据对企业的资产评估,估算单一企业除房屋、附属建筑物以外的一次性补偿费用"。受淹工矿企业补偿评估理论和方法还在国内其他大型水库工程中推广应用。

受淹工矿企业补偿评估理论和办法不仅适用于工矿企业,而且还适用于各企业事业单位、专业设施补偿投资的确定。该套办法已推广应用到三峡库区受淹港口码头、邮电通讯等专项设施,以及受淹企事业单位的补偿,均取得了很好的效果。

第三节　补偿评估特点

工矿企业补偿评估是根据资产评估理论,在水库淹没处理基础上新发展起来的一门估价技术,与通常进行的资产产权交易为目的和以清产核资为目标的资产业务存在较大差异,是一项特殊的资产评估业务。补偿评估具有鲜明的自身特点。

一、现实性

现实性是指按规定时点的资产实际状况对资产进行评估。它包括三层含义:其一,规定时点是由国家对该项目建设批准文件所规定的,如三峡库区纳入淹没处理的资产及特性,以淹没调查时的状况为准,超过淹没调查时点的资产指标要纳入淹没处理范围,必须符合国务院办公厅《关于严格控制三峡工程坝区和库区淹没线以下区域人口增长和基本建设的通知》(国办发[1992]17号)规定。其二,强调客观存在,这一点,与一般资产评估有相似之处。例如,账外资产,虽然企业固定资产账面上没有,但实物客观存在,就应纳入评估范围。有些资产虽然账面上有,但实际不存在或已报废就不应纳入评估范围。其三,补偿评估涉及的资产,强调的是其实物属性。

二、政策性

随着我国经济体制改革的不断纵深发展,企业运行中兼并、转让、出售、中外合资、合作经营、股份制改造、资产抵押、拍卖、债券及股票转让等市场交易活动越来越广泛与活跃。在这些交易活动中,实质问题是企业资产产权的交易问题。资产评估就是为这些特定的经济业务提供公允的价值判断。

受淹工矿企业补偿评估是对受淹工矿企业固定资产在搬迁、改建中的投资和相应损失价值量化的评估,不存在产权交易,它受水利水电工程水库淹没处理政策(包括限制政策和优惠政策)的约束。

受淹工矿企业补偿评估以受淹的固定资产的特性和补偿处理方式为基础,按恢复原规模、原标准和原有生产能力的补偿原则,综合考虑该企业恢复重建成本与其直接经济损失,评估其在规定价格时点的价值量。因此,受淹工矿企业补偿评估具有很强的政策性,是一种有特殊目标的专项资产评估业务。

由于补偿评估的政策性,因而决定了补偿评估中的估价标准、估价程序与方法都必须按国家规定执行。估价结果的确认等,也与一般以产权交易为目的的评估存在明显区别。

三、模拟性

由于受淹工矿企业搬迁一般不会原样重建,而是以搬迁为契机进行技术改造、产品更新和扩大规模,甚至转产等,进行以企业发展为目标的搬迁建设。因此,按原规模、原标准恢复原有生产能力的补偿评估,具有一定的模拟性。模拟性是指按淹没资产的现时状况特征,模拟复建条件,按现行价格考虑易地续用前提条件或按替代原理计算补偿价格。评估结果是对现实资产勘察、鉴定综合分析后的结论,而不是在设计定义条件下计算出来的。因此,评估价值是一种“模拟价值”。

四、较高的技术性和专业性

补偿评估依据来自于对现存的被评固定资产和流动资产(存货)和停产损失的技术勘察、鉴定取证、分析、判断。评估结论不单是简单数学公式计算结果,而且有清查、鉴定、估算的结论。和通常资产评估一样,补偿评估涉及许多专业知识,如工程技术、会计学、市场学等学科的知识。同时,补偿评估涉及到对企业搬迁损失性质与程度的判断。如对设备搬迁损失的鉴定是一项技术性很强的工作,就连许多化工专家也认为,要判断化工设备在停产期的腐蚀程度并计算补偿额度是新的技术难题。因此,评估人员不仅要掌握资产评估的理论与方法,更重要的是还必须熟悉水库淹没处理政策和规范,有较丰富的移民安置规划经验,必要时还要聘请有关方面的专家,这样才能保证评估结果的客观、公正、权威。

第四节　补偿评估的基本要素

补偿评估是资产评估理论和方法的拓展和应用,因而资产评估的基本要素在补偿评估中也同样适用。但是补偿评估因其自身特点,使得基本要素的含义与一般资产评估要素存在一定差异。

我国的资产评估,在不同部门称之为“估价”、“资产估价”、“资产评估”或“价格评估”,实质上都是资产在某一时点的价格或价值的定量评定、分析与估算。它是由资产评估(或估价)机构及评估人员受当事人委托,根据委托人要求和评估目的,依照国家政策、法规,遵循资产评估工作原则、程序,运用与资产估价目的相适应的科学方法,对受委托评估的资产,按确定基准日的时点价格进行鉴定、分析、评估的一项社会性、公正性的中介服务。它由评估主体、客体、目的、依据、方法、程序、基准日、原则等八大要素组成。

一、评估主体

评估的主体是指资产评估机构和资产评估人员。补偿评估工作的政策性强、工作量大、情况复杂、业务水平要求高,必须由取得许可证资质的专门资产评估机构和经考核具有资产评估资质的人员来完成,并承担相应的法律责任。

二、评估客体

评估的客体就是被评估的对象,即委托人委托进行估价的有形资产、无形资产,以及涉案资产和具有资产外壳的事物及劳务。

通常,企业资产分为有形资产和无形资产两大类,它们同属于企业资产评估的客体,其存在形式见图 2-1。

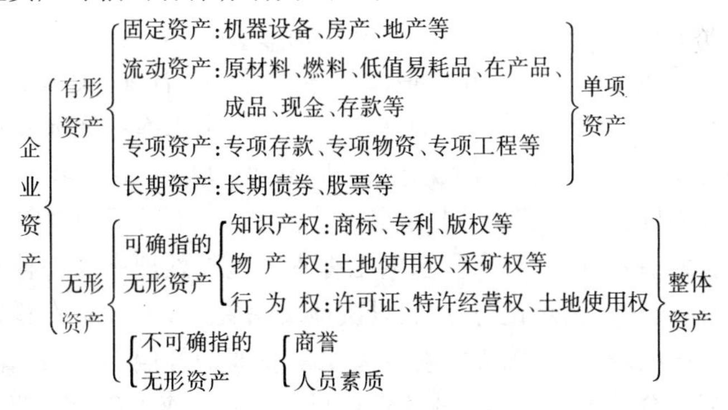

图 2-1 企业资产存在形式

对补偿评估而言主要是固定资产和流动资产。由于目前水库淹没处理不涉及产权变动,因而无形资产尚未成为补偿评估的客体。

三、评估目的

市场经济高度发育的经济活动的目的十分广泛,主要是资产交易、资产保全、资产纳税、中外合资与合作、企业兼并、实物验资、企业联合、股份制经营、承包或租赁经营、抵押贷款、财产保险、经济担保、资产损失补偿、破产或结业清算、司法或行政执法等。资产评估为这些不同属性的各类经济活动的资产价值判断提供公平、公正、科学、规范的中介服务。评估目的是由其特定的经济行为所决定的,它对评估结果的性质、价值类型等有重要的影响。因此,它是在进行评估前必须首先明确的基本事项。

在水库淹没处理中,受淹工矿企业搬迁目标,是通过搬迁建设,恢复原有的生产规模,达到原有的生产能力,消除由于淹没对工矿企业造成的损失和负面影响。工矿企业不是文物古迹,搬迁不会也不应该原样复建。现代社会经济的发展、技术的进步、市场的竞争,使得每个受淹企业,都会利用这个机遇,利用市场形势进行体制改革、技术改造和产品更新,以求发展壮大。

对受淹工矿企业迁建所造成的损失,科学、合理、实事求是地给予补偿,是水库淹没处理的基本责任。一个水库往往涉及淹没许多工矿企业,它们的行业不同、性质不同、规模大小不同、淹没影响程度不同、经营状况不同,情况十分复杂。工矿企业补偿评估的目的,就是根据国家对水利水电工程水库淹没处理原则和补偿政策,运用资产评估理论与方法,真实地反映受淹工矿企业在搬迁过程中的损失程度,明确界定对受淹工矿企业的补偿责任,客观、公正、科学、合理地量化国家或建设项目业主对受淹工矿企业的补偿额度。补偿评估的特定目的决定了补偿工作的特殊性。

四、评估依据

评估依据主要包括理论依据、资料依据和法律依据。

(1)理论依据。主要是指市场经济理论、商品价值理论、社会再生产理论、地租理论以及资产成本理论、收益理论和市价理论等。

(2)资料依据。主要是指资产本身以及有关的账册、图纸、记录等评估客体的全面情况和各种相关资料。

(3)法律依据。主要指与评估项目、评估目的相关的国家法律、法规、规定等以及国内外有关的行业规定。

五、评估方法

评估方法是为各种类型资产和多种多样目标的资产业务,提供适宜的价值尺度。不同属性的经济活动对"资产价值"认识是不同的,不仅在量上存在很大差距,更主要的是在概念上的不同。因此,不能用一种资产评估标准来反映价值属性千差万别的资产业务。不同的评估对象和评估目的,有着不同的评估标准及相应的评估方法。

在国际上和我国通行的资产评估方法主要有四种,即重置成本法、收益现值法、现行市价法和清算价格法。许多其他名称的评估方法,也多是这四种基本评估方法的衍生与变化。资产评估业务中所要采用的方法,必须与评估目的以及资产特征相适应,即评估方法的选择必须遵循"匹配性"原则。如对企业破产评估用清算法;对企业产权转让评估多采用收益法;对企业纳税评估采用市价法;在水库淹没处理中,对受淹工矿企业的补偿评估主要采用重置成本法。

六、评估程序

要保证评估的合法性和评估质量，评估工作一定要遵循国家规定的程序。根据国务院 1991 年颁布的《国有资产评估管理办法》，国有资产评估一般程序为申报立项、资产清查、评定估算及验收确认等四个阶段[1]。

受淹工矿企业补偿投资评估的程序，与国有资产评估办法规定的程序在总体上基本一致。但由于水利水电工程项目，特别是大中型项目，是因国家和社会总的需求而安排的建设项目，水库淹没处理中工矿企业搬迁不是主动性行为，而是被动性行为，不是产权交易。因此，补偿评估程序与一般资产评估程序略有不同。受淹工矿企业补偿评估程序如下。

（一）评估立项

受淹工矿企业的补偿投资确定是水库淹没处理规划设计阶段的重要内容，在国家有关主管部门批准水利水电工程水库淹没处理规划设计工作大纲后，则视同受淹工矿企业补偿评估立项。由于受淹工矿企业搬迁是一个整体行为，不是企业的自身行为，因而各受淹工矿企业不必单独申请立项。

（二）企业资产申报

企业资产申报工作，主要是根据项目设计负责单位和地方政府协商安排的计划，由资产评估机构向各受淹企业负责人和财务人员，介绍企业资产申报的项目、表格内容与要求，由各受淹工矿企业有关人员填报并提供有关文件。

在申报时，各受淹工矿企业应根据水库淹没实物指标调查成果，将已认定的各类固定资产，按照在厂区的位置、分类依次编号，

---

[1] 据《国务院办公厅转发财政部关于改革国有资产评估行政管理方式加强资产评估监督管理工作意见的通知》中的评估程序，已取消政府部门对国有资产评估项目的立项确认审批制度，实行核准制和备案制。

将其数量、规格、型号、出厂年月(建造年月)、生产厂家、已使用年限、生产能力、原值、净值和资产完好程度,填报《××水库受淹工矿企业受淹固定资产补偿评估申报分类明细表》,并提供下列资料:

(1)企业的基本情况,厂区平面布置图,主要车间设备布置图;

(2)有关资产的产权证、使用证;

(3)固定资产账簿(总账、明细账)、固定资产卡片;

(4)评估前三年企业财务报表资料;

(5)评估人员核查需要的原始凭证;

(6)设计图纸、审批文件、竣工决算资料;

(7)其他有关资料。

(三)固定资产范围界定

评估机构应根据设计单位提供的淹没实物指标调查设计水位标志(如果厂区大、地形变化大,而厂区内没有足够的标志,则要补测),对设计单位提供的淹没固定资产清单和企业提供的资产申报表进行核查。若淹没调查实物指标清单、资产申报清单与现场实际情况三者间有出入时,则要和设计负责单位、企业和地方政府有关部门共同核对,排查原因,达成一致的界定处理意见。

(四)现场资产清查

对认定的应纳入评估的固定资产的性质、技术性能、结构特征及使用情况、完好程度进行现场勘察、鉴定,确定设备可搬迁和不可搬迁,填写《受淹工矿企业固定资产查勘表》和《作业分析表》,并附主要固定资产的摄影图片;收集应评估的固定资产的各种有关资料。

对基准日前两年的财务指标进行核实,对会计报表作出鉴定,进行账账、账表、账实的清理核定。对具有实物形态的流动资产清查和核实,包括其类别、规格型号、数量、重量及其基准日的价值量。

（五）评定估算

评估机构在资产现场清查、鉴定的基础上，对资产进行认真的分析评定，并按照国家有关的法律、法规和政策规定，结合影响资产价值的各种地区因素，运用科学的评估方法，选择适当的评估参数，评估房屋、设施、不可搬迁设备等固定资产的重置价、重估价，评估可搬迁设备搬迁中的各种费用及停产损失补助费，评估具有实物形态的流动资产搬迁补助费等。

（六）编制补偿评估报告书

评估机构在完成评估任务后应向委托单位提交补偿评估成果报告书，其内容包括正文和附件两部分，正文部分的主要内容有：①评估机构名称；②委托单位名称；③企业的基本概况（现状、淹没情况、搬迁意向）；④评估资产的范围、对象；⑤评估基准日期；⑥评估方法、计价标准和依据；⑦评估结论。

（七）征求意见

将评估结果向被评单位、委托单位进行说明，征求意见。

（八）修改报告，报送委托单位

吸收被评估单位、委托单位的合理意见，对评估成果及初步报告作出合理修改后提交评估委托单位审定验收。

七、评估基准日

评估基准日，是确定被评估资产价值的一个特定时点。要求在资产评估结论形成过程中，所选用的各种价格标准、依据和评估技术参数，必须以该日的资料、数据和规定为准，方才有效。评估结论的有效期，从基准日起一年之内有效。在水利水电工程水库淹没处理中，基准日一般要与工程设计阶段的概预算价格水平年保持一致，评估结论不受一年时效的限制。

八、评估原则

补偿评估应遵循公认的资产评估原则。

所谓资产评估原则,是指用以调整资产评估委托方与承担资产评估任务的评估机构各方有关权益在资产评估业务中的相互关系,规范评估行为和业务所必须共同遵循的各项基本准则。通常,资产评估原则分工作原则和经济原则两个方面。其具体内容如下。

(一)工作原则

工作原则是指在资产评估过程中,评估机构的工作必须遵循独立性原则、客观性原则、科学性原则及专业性原则。

(1)独立性原则。要求评估机构在评估工作中,始终坚持第三者立场,地位超脱,工作不受外界干扰和委托方意图影响。

(2)客观性原则。指评估工作必须客观、公正,实事求是,据实评估。

(3)科学性原则。指评估工作必须根据特定的目标,选择适用的评估标准和相应的评估方法,制订科学的实施方案,使评估结果科学、合理。

(4)专业性原则。要求评估机构,必须配备具有土木建筑、机械设备、工程概(预)算、经济管理、财务、会计等方面的专业知识,又懂评估业务的专业评估人员,必要时要聘请有关行业的专家、学者咨询,以保证评估质量。

(二)经济原则

经济原则是指评估机构和评估人员,对评估对象作价值评定时,必须遵循的贡献原则、替代原则和预期原则。

(1)贡献原则。是指在评估某一单位资产价值时,必须综合考虑该资产在整个资产构成中的重要性,而不是孤立地确定该资产自身的独立价值。

(2)替代原则。是指当同时存在几种效能相同但价格各异的资产时,应按其中价格最低者考虑。

(3)预期原则。是指在对某项资产价值评估测算时,不以过去的生产成本或销售价格决定,而是基于对未来收益的期望值来决定。

第五节　受淹工矿企业补偿评估的必要性

所谓受淹工矿企业补偿评估,是由专职评估机构,按照规定的程序,通过对纳入评估范围内的资产逐项查勘鉴定,采用科学方法测算其搬迁损失性质和程度,依据国家的补偿政策测算补偿值,因而评估结果比较客观、科学、公正。通过三峡库区受淹工矿企业评估实践,运用补偿评估方法确定的补偿值,国家、地方、企业均能接受,企业在搬迁中的后遗症也比较少。

一、评估确定受淹工矿企业补偿投资是社会主义市场经济发展的必然要求

水库淹没实质上是国家行使的土地征用行为,这种征用行为是国家强制进行的,因而征用补偿不是通过市场机制来实现的,而是通过国家有关法律和水库淹没处理政策实现的。水库淹没处理政策因国家经济体制不同而有较大差异。在计划经济条件下,企业产权主体是国家,各企业对所占有的资产仅拥有使用权,补偿额的大小、补偿形式与各受淹工矿企业没有直接关系,因而可以通过行政手段来处理补偿问题。随着我国社会主义市场经济体制的建立和完善,受淹工矿企业的产权主体多元化,既有因国家授权拥有法人财产权的国营企业,也存在股份制、私有产权等多种形态。各企业由原来单纯的资产使用权逐步扩大为对资产拥有、占有、使用、收益和处置权。在水库淹没处理中对这些受淹资产的损失补

偿，与企业经济利益密切相关，因而水库淹没处理关系到企业合法权益的保护问题。相应的补偿原则、补偿形式必须与市场经济发展要求相适应，补偿标准必须考虑市场因素对价格的影响。

由于受淹工矿企业搬迁是非自愿性，企业期望在搬迁过程中得到较高的补偿是正常的。企业对补偿的需要与国家或征用方愿意支付的补偿额往往差异很大，从而使在计划经济条件下奏效的用行政手段协调补偿问题逐步失效，必须探索新的补偿办法。

在社会主义市场经济条件下，对经济活动涉及资产变动的企业资产进行资产评估已成为一种制度。例如，企业发生中外合资、股份制改造、兼并、破产、合并、承包经营、租赁经营、借款抵押等经济行为时，一般都要求对其资产价值进行评估。在旧城改造中涉及企业搬迁时也要通过评估确定企业补偿投资。在水库淹没处理中，一些发达的资本主义国家在 100 多年前就采用评估确定水库淹没补偿投资。为了与社会主义市场发展要求相适应，通过总结国内外水库淹没处理经验教训，对受淹工矿企业搬迁进行以补偿为目标的资产评估也是十分必要的。

以三峡库区受淹工矿企业补偿为例，如某企业申报的固定资产补偿为 1 710 万元，而通过评估确定的补偿值仅为 1 280 万元，评估值仅为企业申报值的 75%。由于评估值是通过专门机构进行的，方法是科学的，企业接受了评估结果。

二、评估确定的受淹工矿企业补偿值能够全面、真实地反映受淹工矿企业的淹没损失

补偿评估成果具有客观性、科学性、公正性的特点，能够全面、真实地反映受淹工矿企业的淹没损失，维护企业的合法权益。

所谓评估结果的客观性，是指评估结果能全面、准确地反映各受淹工矿企业固定资产价值量，客观衡量各受淹工矿企业淹没损失的性质和程度。以三峡库区为例，由于受淹工矿企业规模较小，

资产形成过程时间长，加之管理不善，固定资产存在严重的账实不符现象，其账面值不能真实、准确地反映受淹固定资产的价值量。造成这种现象的原因有两方面：其一，企业固定资产账面价值随着物价上涨、重置成本的提高，已不能准确反映企业固定资产的真实价值量。通过评估后，企业固定资产重置成本较账面原值有较大幅度提高。据对三峡库区秭归县19家和原万县市32家受淹工矿企业评估试点统计，固定资产重置成本为原值的倍比分别为1.87、2.2。其二，受淹工矿企业存在大量的账外资产，据1991～1992年对三峡库区淹没调查统计，账外资产一般占企业总固定资产的10%～30%。这些账外资产实物形态完整、功能完好，是企业资产的重要组成部分，应作为企业资产纳入淹没处理范围，但各企业账外资产原值在淹没调查时由企业自估，准确度参差不齐，经评估后，账外资产重置成本为企业申报值的49%～871%，平均为115%。显然，不通过评估是难以全面、准确地反映各受淹工矿企业固定资产价值量的。

所谓评估结果的科学性，是指在评估过程中，根据补偿评估目的，选择适宜的估价标准和科学的方法，制订科学的评估方案，使评估结果准确合理。各受淹企业在搬迁过程中的资产损失程度是不同的。行业不同，企业资产的搬迁损失不同；同一行业，由于固定资产结构、规模、经营状况、淹没程度等不同，企业资产的搬迁损失也不同。如以企业资产组成要素来说，房屋，存在建筑质量差异及一些特殊因素；设施，因使用要求不同在结构、材料等方面存在较大差异，且设施在企业补偿中所占比例变化很大，一般企业设施补偿占企业补偿投资的15%～25%；设备搬迁损失程度随行业不同而不同，同一行业设备组合情况不同，其搬迁损失则存在差异，如组合机床比普通机床搬迁安装要复杂；流动资产搬迁费一般占企业补偿值的1%，显得微不足道，但有些企业也存在特殊情况，如万县市外贸肠衣厂半成品肠衣，搬迁损失就很大；停产损失随各企业职工规模、经营情况不同差异很大。由于各工矿企业在淹没中损失性质和程度差异很大，必须通过评估才能得到科学的结果，而不能按传统的水库淹没处理方式（如采取典型测算法、扩大指标框算法、申报审查法，或采用某一经验公式推算补偿），否则，由于缺乏科学性，计算出的补偿值与企业实际情况差异很大，将会损害企业的合法权益。

所谓评估结果的公正性，就是评估机构独立操作，不受水库淹没处理有关各方的干扰，包括政府与被评估企业没有经济利益关系，评估操作及标准规范统一。这样的补偿值容易为矛盾各方所接受，评估结果具有公正性。

三、评估确定的补偿值能够有效地界定受淹工矿企业补偿与搬迁的责任

随着社会经济的发展，库区工矿企业也得到快速发展，在水库淹没处理中，涉及的工矿企业数量越来越多，规模越来越大，搬迁与补偿的任务越来越艰巨，且关系到库区经济发展。传统的工矿企业淹没处理采取迁建与补偿相结合的形式，即对有必要迁建的给予迁建，没有必要迁建的给予补偿，搬迁与补偿的责任主体界定不够明确，这种处理方式已不适应社会主义市场经济发展的要求。因为所谓的迁建实质上是强调按原标准、原规模进行复建，而库区受淹工矿企业一般规模较小、设备陈旧、产品技术含量低，缺少市场竞争能力，如果继续按原规模、原标准复建，必然会出现新的污染源、亏损源，反而会背上沉重的包袱，不利于库区经济的发展。实际上，在市场经济条件下的工矿企业淹没处理，其补偿值虽然是按原规模、原标准复建计算的，但企业在搬迁时因考虑发展就不会搞原样搬迁，而是在搬迁中要进行结构调整，技术改造，扩大规模，提高建设标准，从而增加投资，这部分投资又不能纳入水利水电工程概算之中，要由企业自筹。所以市场经济条件下的水库淹没处

理中补偿与搬迁行为是分离的，由此也必须将补偿与搬迁责任主体明确界定开来。建设方(如国家)的责任是合理补偿，而搬迁方(地方政府和企业)则必须合理运用补偿资金实施搬迁，这对水利水电工程建设和库区经济发展均是有利的。

如三峡库区水库淹没工矿企业 1 599 家，职工人数 31.33 万人，年总产值 128 亿元，年平均工资总额 5.4 亿元，年利税 5.3 亿元。据对库区 10 个重点县(区)统计，受淹工矿企业数量一般占全县(区)工矿企业总数的 30%～70%，职工人数占全县工矿企业总人数的 45%～76%，固定资产原值占全县工矿企业固定资产原值的 36%～90%，工业总产值占全县工矿企业总产值的 42%～77%；有的县受淹工矿企业利税占全县工矿企业利税总额的 80%～90%。但是这些工矿企业普遍规模偏小，在 1 599 家工矿企业中，除 32 家属大中型企业外，其余绝大部分属“五小”企业，技术落后、设备陈旧、产品技术含量低、缺少市场竞争力，有的工矿企业多年亏损，有的负债累累。如果不通过评估，把受淹工矿企业的补偿与搬迁责任区分开，一方面国家难以承受工矿企业迁建造成的巨大资金缺口，另一方面地方和企业也没有积极性，还可能给库区经济发展带来不利影响。

通过对三峡库区受淹工矿企业实施补偿评估，确定了各受淹工矿企业的合理补偿额度，国家将这个补偿额度包干给地方政府和各受淹工矿企业，有效地调动了地方政府和企业的积极性。同时，国家还对三峡库区受淹工矿企业搬迁实施了一系列优惠政策，如技改优惠贷款，对破产关闭企业核销呆坏账，以及对口支援等，有力地促进了搬迁工矿企业的结构调整，破产关闭了一批，搬迁发展壮大了一批，使搬迁后的工矿企业成为库区新的经济增长点。三峡库区受淹工矿企业的处理形式对国内其他大中型水库均有借鉴意义。

总之，由于淹没工矿企业补偿评估，适应了社会主义市场经济发展要求，评估结果客观、科学、公正，评估工作有助于界定建设方（国家）和搬迁工矿企业的职责，促进水利水电工程建设的顺利进行，因而以补偿为目标的资产评估必将成为一种发展趋势，在我国水库淹没处理补偿中得到广泛应用。

第三章　受淹工矿企业补偿评估范围与补偿投资构成

补偿评估范围及对象是从事补偿评估工作必须事先明确的基本事项。补偿评估范围的确定具有很强的政策性，要依据水库淹没处理规范和受淹工矿企业搬迁规划确定。补偿评估对象包括受淹工矿企业的固定资产、具有实物形态的流动资产和因搬迁造成的停产损失。在补偿评估范围及对象确定后，还要按照国家关于水库淹没处理原则和补偿政策分别确定各受淹工矿企业的补偿投资。

第一节　受淹工矿企业补偿评估范围确定的依据

受淹工矿企业补偿评估范围要与水库淹没处理范围一致，包括水库淹没区和淹没影响区。淹没区和淹没影响区要按照水库淹没处理设计规范，结合各水库具体情况确定。

一、水库淹没区范围确定依据

水库淹没区是由水库淹没处理设计洪水标准确定的。

水库淹没处理洪水标准应依据水利水电工程建设目标、水库调节性能、运用方式、淹没对象的重要性，综合考虑安全、经济和原有防洪标准的原则下，因地制宜地确定。

(一)原水电部、电力部规范标准

原水电部 SD130—84《规范》和原电力部 DL/T5064—1996《规范》规定的各淹没对象的洪水标准为：

(1)农村居民点、一般城镇和一般工矿区为10～20年一遇洪水；

(2)中等城镇、中等工矿区为20～50年一遇洪水；

(3)重要城市、重要工矿区为50～100年一遇洪水。

设计洪水回水区淹没范围,应以坝址以上同频率的分期设计洪水回水组成的外包线高程为依据;多沙河流水库设计洪水回水位,还应考虑10～30年的泥沙淤积影响。

水库设计洪水回水末端位置,按回水高于同频率天然洪水水位线0.3m确定。但SD130—84《规范》规定按高于0.1～0.3m确定。

(二)长江三峡工程水库淹没处理设计洪水标准

根据三峡工程建设目标、水库性能和三峡库区实际情况,经论证确定淹没处理设计洪水标准为:

(1)人口、房屋含城乡移民均为20年一遇;

(2)土地包括耕地、园地为5年一遇;

(3)林地为正常蓄水位;

(4)工矿企业包括中小企业(含乡镇企业)和大型企业的附属设施为20年一遇,大型企业的主要车间为100年一遇;

(5)公路、电力、电讯、广播、文物古迹、码头为20年一遇。

(三)工矿企业淹没处理设计洪水标准

在三峡工程选定175m正常蓄水位方案之后,工矿企业淹没处理设计洪水标准规定如下:

(1)工矿企业淹没线,按坝前177m高程(175m正常蓄水位加2m风浪影响)接相应20年一遇洪水和11月份20年一遇来水的设计水面线外包线高程;

(2)大型工厂主要车间淹没线,按坝前177m高程接干流和支流嘉陵江、乌江相应的100年一遇洪水的设计回水水面高程;

(3)设计洪水水面高程末端位置,按高于同频率天然洪水位

0.3m 处确定。

二、水库淹没影响区范围确定依据

水库淹没影响区是水库淹没处理的范围。按照水库淹没处理设计规范规定，水库淹没影响区主要是指风浪影响区、冰塞壅水区、浸没区、坍岸及滑坡地段和其他影响区等。

(1)风浪影响区。系指库岸风浪和船行波面浪爬高影响地区，对库区开阔、吹程较长的水库，应视库岸地质、地形、居民点和农田等情况，在正常蓄水位滞留的时段，按 5～10 年一遇风速条件计算的浪高值确定。

(2)冰塞壅水区。系指冰花入库后改变水流运动规律形成的冰塞壅水淹没范围，按冰花大量出现时的水库平均水位和平均入库流量及通过的冰花量计算回水位。

(3)浸没区。系指水库蓄水后，由于库岸地下水位较建库调节径流前升高而形成土壤次生盐碱化、沼泽化，产生影响作物正常生长和使建筑物地基沉陷及翻浆等现象的地区。可能受浸没影响范围，应根据水文地质勘测成果和不同经济对象允许的地下水埋深，会同有关部门综合调查研究后确定。预测浸没范围可采用水库的正常蓄水位或 1 年之内持续时间在两个月以上的运行水位确定。

(4)坍岸、滑坡地段。系指水库形成后，库岸受风浪冲击、水流侵蚀、岩土抗剪强度减弱、水位涨落引起库岸地下水动水压力变化等因素影响，发生再造、变形的地段。对可能发生坍岸、滑坡的重要地段，应查明其工程地质及水文地质条件，在考虑库水位涨落规律的基础上，预测初期(5～10 年)和最终可能达到的坍滑范围。

(5)其他影响区。系指岩溶发育地区，因水库蓄水致使库周岩溶洼地出现库水倒灌、滞洪而造成影响的地区，以及居民失去生产、生活条件的库边地段及孤岛区。

第二节　受淹工矿企业固定资产补偿评估范围

固定资产是受淹工矿企业评估的主要对象。由于各受淹工矿企业淹没及影响程度不同,相应的固定资产评估范围也不同。全部或绝大部分在淹没处理线内的工矿企业称全淹企业,部分厂区或仅次要车间受淹的工矿企业称为局部受淹工矿企业。这些受淹工矿企业固定资产补偿评估范围,要根据企业的具体情况和规划迁建方式确定。

一、受淹工矿企业需补偿固定资产范围的界定

在水库淹没处理中,对厂区全部或绝大部分处在淹没线以下的企业,因为要搬迁,则必须对其全部固定资产(包括不受淹的部分)进行补偿。对局部固定资产受淹或仅附属设施、生活设施受淹的企业,则只需对受淹部分的固定资产及相应损失进行补偿。对于局部受淹的工矿企业是易地搬迁还是就地改建,将取决于淹没程度、企业性质、生产工艺流程、厂区布局,以及厂区及周围的地形、地质条件。若经勘察、论证,搬迁规划确定为全迁方案,则对全部固定资产进行补偿;如果是就地改建,则只需对受淹固定资产进行补偿。

三峡库区工矿企业淹没处理规划中规定:

(1)全部受淹工矿企业,则对其全部固定资产搬迁及相应损失进行补偿。

(2)主要车间受淹的工矿企业,若规划确定为异地全迁,则对其全部固定资产的搬迁和相应损失进行补偿;若规划方案为原地后靠改建迁建,或仅对受淹的一部分异地迁建,则只对受淹固定资产及相应损失进行补偿。

(3)局部受淹或附属设施受淹的工矿企业,则只对淹没线下的

固定资产及相应损失进行补偿。

局部受淹工矿企业是否全迁，要根据该工矿企业本身的特点和环境条件，作分析论证。例如重庆市望江机器厂，其铁杉坪主厂区在百年一遇天然洪水时淹没水深1m左右，设计洪水回水位比天然洪水淹没深度增加0.4m。根据规范该区属淹没处理范围，原拟异地全迁，但经多方案分析论证后，该厂未作全迁处理。

又如飞亚集团公司是万县市一个大型工厂，主车间受淹，原拟异地搬迁，经补偿评估，明确了对其补偿额度后，企业经过认真研究，决定调整生产布局，就地改建，效果很好。

二、全迁企业不能列入工矿企业补偿范围的固定资产

由于长期计划经济的影响，我国许多企业除生产性经营外，还办有招待所、附属商店、门市部、办事处、学校、幼儿园等，存在企业办“小社会”的情况，大的企业更有甚之。改革开放以来，市场经济的发展，企业间的兼并、组合和股份制改造，使得许多企业不再局限于一地一业，而是向跨地域、跨行业、集团化发展。此外，还有一些个体企业挂靠于工矿企业，因而工矿企业的各类资产，包括固定资产组成非常复杂。

根据受淹工矿企业按原规模、原标准恢复原有生产能力的补偿原则，一些企业虽然是全淹全迁企业，但是有些固定资产不能纳入工矿企业补偿范围。这些固定资产或按水库淹没实物中相应的其他类别的补偿规定执行，或不予补偿。

工矿企业补偿评估，需要剥离那些与工业化物质生产不相关的固定资产的补偿。这些固定资产是：

(1)企业在异地兼并或组合的与淹没区固定资产生产运行没有关系的固定资产不予补偿，不列入评估范围。

(2)企业分散在城区街道的门市部、营业部、附属商店、招待所以及学校、住宅等，它们和企业工业化生产没有工序、工艺流程上

的联系，不列入该工矿企业补偿评估范围。这些固定资产的补偿宜在街道按其所属性质、类别计算补偿。

(3)已经租出的固定资产不属评估范围，因为它不构成企业的实际生产能力。

(4)企业内部已废弃的设备、设施及矿井、封堵井巷和资源枯竭的矿山等固定资产不列入补偿范围。

例如，某工矿企业属全淹全迁，但它在异地兼并了若干个企业，或在异地承包了若干个企业，这些被兼并或承包的企业，与淹没区的工矿企业在生产工序、工艺流程上没有关系，是独立运行的实体。这些被兼并或被承包的企业，如果也在淹没区，则应单独进行评估补偿；如果不在淹没区，则不应纳入补偿范围。

又如，某工矿企业，办有子弟学校、商店、招待所、房地产开发公司，在城区购置了多处分散在各区的住宅。这些附属机构、单位的固定资产不纳入该工矿企业搬迁复建补偿范围。它们如果在淹没区，应该在城镇街道调查时登记，按其性质分类，单独计算补偿。

三、淹没调查后增加的实物指标的处理

在水库淹没实物指标调查中未登记的固定资产，和淹没调查后新增加的固定资产，要纳入补偿评估范围，需根据有关政策规定处理。

第三节　受淹工矿企业固定资产补偿评估标准

一、固定资产补偿评估标准

资产评估的价值标准是资产估价采用的价值标准准则，根据国际惯例可以选用的价值标准有重置成本标准、收益现值标准和现行市场标准。根据我国水库淹没处理实际情况，对受淹工矿企

业的补偿评估采用重置成本标准进行。所谓重置成本标准,是以重置成本为计价基础评估资产价值的标准,即在现实条件下,按原资产功能重新购置或建造一个全新状态资产所需的成本。受淹工矿企业以重置成本为估价标准的主要原因如下:

(1)重置成本能直观地反映企业的淹没搬迁损失。其补偿值符合水库淹没处理确定的恢复原规模、原标准、原生产能力的原则。

(2)水库淹没资产所在地域一般为市场条件不太发育的区域,难以在市场上选择类比参照物。

(3)水库淹没区有相当多的企业资产属特定目的、特定条件下形成的资产。企业收益额很低甚至是负值,采用收益现值标准不能公允地反映企业淹没资产损失的价值量。

因此,我国水库淹没补偿政策规定水库淹没补偿处理采用重置价值标准。应该注意的是,采用重置成本对企业固定资产进行补偿必须考虑以下假设前提:第一,纳入补偿范围并拟在新址重新建厂的企业新厂址与淹没旧址地形地质条件,以及新厂与旧厂建厂条件应基本相似或相同;第二,企业固定资产的补偿是以复建方式为基本假设前提,不考虑技改和转产时企业固定资产的搬迁损失。

二、固定资产补偿评估标准不考虑各种贬值

一般产权变动的资产评估,要考虑实体性贬值、经济性贬值、功能性贬值,以扣除各项贬值后的总评估值作为资产的价值。受淹工矿企业补偿评估,根据水库淹没处理原则,补偿费中不扣除固定资产各项贬值因素。

(1)补偿价值不扣除实体性贬值,即不考虑使用和自然力损失形成的贬值。对三峡库区而言,这一部分贬值相当大(如万州区受淹工矿企业固定资产的实体性贬值率达 35% ~ 40%),但在进行

淹没处理时,未扣除这部分贬值。尤其是在对不可搬迁固定资产按重置成本补偿时未扣减这一贬值因素,体现了国家对水库淹没处理的政策优惠。

(2)功能性贬值,包括由于技术进步而产生的重置成本差异,以及由于技术落后产生的生产成本增加和效益降低。由于补偿评估标准是按复原重置成本考虑的,已对技术进步造成的重置成本差异进行了修正。此外,补偿评估标准未考虑效益降低的功能性贬值。

(3)经济性贬值,指企业受外部环境变化影响,造成资产的贬值,如企业开工不足、停产。据监测评估,三峡库区约有40%的企业停产、半停产。这一经济性贬值比较高,在补偿评估时未扣减。

第四节　受淹工矿企业迁建补偿费构成

一、工矿企业迁建补偿费构成

水利水电工程受淹工矿企业迁建补偿费由固定资产复建补偿费或搬迁补偿费、实物形态流动资产搬运补偿费、迁建期停产损失费、土地征用及场地平整补偿费和其他补偿费等5部分构成。

计算公式如下:

受淹工矿企业迁建补偿费=固定资产复建或搬迁补偿费+有形流动资产搬运补偿费+迁建期停产损失补偿费+土地征用及场平补偿费+其他项目补偿费　(3-1)

二、固定资产复建或搬迁补偿费

固定资产是指单位价值在国家规定标准以上,使用年限在1年以上,并在使用过程中保持其原有实物形态的劳动资料或其他物资资料。固定资产主要包括房屋及附属建筑物、设施和设备等三项。复建或搬迁补偿费为该三项补偿费之和。计算公式如下：

固定资产复建或搬迁补偿费＝房屋及附属建筑物复建补偿费＋设施及构筑物复建补偿费＋可搬迁设备搬迁和安装补偿费＋不可搬迁设备重置费 (3-2)

(一)房屋及附属建筑物补偿费

工矿企业的房屋及附属建筑物应按用途、性质、建筑结构、结构构件材质分类。房屋用途分生产、生活、附属建筑等类别；建筑结构分框架、排架、混合结构等类别；结构构件材质分钢结构、钢和钢筋混凝土结构、砖混结构、砖石结构、砖木结构、土木结构等类型。房屋及附属建筑物按重置成本补偿，计算公式如下：

房屋(附属建筑物)补偿费＝房屋(附属建筑物)重置成本 (3-3)

(二)设施及构筑物补偿费

工矿企业设施含义范围很广。如水塔、水池、上下水道；码头梯道、堤坝、船坞、货场、锚墩、浮筒锚、矿井坑道、料场、道路、围墙、烟囱、照明、电力线路、蒸汽、煤气、石油输送管道等。确定要迁建的设施及构筑物，按重置成本补偿，计算公式如下：

设施(构筑物)补偿费＝设施(构筑物)重置成本 (3-4)

对与市政交织的共同设施与构筑物，在与市政工程规划衔接时核定，应不重不漏。

(三)设备补偿费

设备按性能、用途、结构可分为很多种类，主要有动力设备、机械设备、化工设备、传输设备、运输设备、施工设备、容器设备、电子电气设备以及仪器仪表等。如：电动机、发电机、变压器、整流器、蒸汽锅炉、空气压缩机、水泵、炉、平炉、转炉、粉尘机、各种机床、电池槽、起重机、挖掘机、皮带传输机、器具、船舶等等，不胜列举。

一个企业拥有的机器设备种类及数量，主要取决于该企业的行业类型、企业规模、建厂时间及产品品种，补偿时以实际拥有量进行评估。

机械设备是加工制造工业产品的工具，分通用机器设备和专用机器设备，其属于国家定型的产品为标准设备，非定型的称为非标准设备。机器设备具有单位价值高，使用年限长等特点，而且通常都可以通过对其修理、改造来延长使用寿命，恢复使用功能。并且，机器设备多数具有可移动或拆卸移动的特征。

在受淹工矿企业迁建中，按恢复设备能力分为可搬迁设备、不可搬迁设备（含可搬不可用的设备）和运输工具。其补偿原则如下：

(1)不可搬迁设备（或可搬不可用的设备）按重置成本补偿；

(2)可搬迁设备按设备的拆卸、包装、运输、安装、测试、调试费用加有关损失费补偿；

(3)对有自行能力的拖拉机、汽车、船舶、挖掘机等，不计算搬迁补偿。

计算公式如下：

设备补偿费 = 不可搬迁设备的重置成本 + 可搬迁设备的拆卸、包装、运输、安装、调试费 + 有关损失补偿费（包括基座的重置成本）　　(3-5)

三、实物形态流动资产搬运补偿费

流动资产，是指可以在一年或者超过一年的一个营业周期内变现或耗用的资产。包括货币资金、短期投资、应收账款、预付账款和存货。流动资产是企业重要的营运资金，直接关系到企业的经济效益。受淹工矿企业迁建补偿只涉及实物形态流动资产（存货）。

受淹工矿企业实物形态流动资产搬运补偿费，主要指受淹存货的搬运补偿费。存货包括产成品、在制品、半成品以及各类原材料、燃料、包装物、低值易耗品以及一些备品备件。

存货的搬运补偿费,按存货的账面价值乘以搬运费率计算,计算公式如下:

存货搬运补偿费 = 账面价值 × 搬运费率 (3-6)

评估时,应按照各类存货的形态、性能和所需要的不同搬运方式,并计及搬运损耗、损失等具体情况而确定搬运费,为了简化计算,采用搬运费率计算,搬运费率采用统计原理确定。

四、停产损失补偿费

进行工业化生产的企业,按原规模、原标准和能利用的设备、材料应尽量利用的原则进行搬迁。而搬迁必然要导致企业或长或短、或全部或局部停产,若停产就有停产损失。受淹工矿企业的搬迁是非自愿搬迁,是被动性搬迁,因此搬迁的停产损失应当予以补偿。计算公式如下:

停产损失补偿费 = 月均停产直接损失费 × 合理停产期 (3-7)

(一)合理停产期的确定

为了尽量减少损失,减少淹没处理补偿投资,受淹工矿企业迁建停产期,应按合理停产时间计算。一般说,合理停产期应按该企业可搬迁的主要设备拆迁、包装、运输、安装、调试、测试时间直至恢复生产确定,并适当留有余地计算企业的停产期。即以搬迁控制性设备的搬迁时间,作为确定企业搬迁停产期的基础,并考虑不可预见因素,留一定余地。新厂的土建工程时间不计入停产期。

(二)月均停产直接损失费构成

工矿企业是通过加工增值物质(或物品)的生产运行,来支付工资、福利、奖金、利息、税金及盈利,维持企业的再生产和发展。停产将使这些资金、经费失去来源。因此,停产损失补偿费将包括合理停产期内上述一切直接相关费用。计算公式如下:

月均停产直接损失费 = 职工工资 + 职工福利费(含职工教育费、工会经费)
+ 离退休人员经费 + 流动资金贷款利息

$$+企业留利+地方及国家各种税金+上级管理费$$
$$+行政管理费+其他停产损失 \quad (3-8)$$

企业生产因受市场影响具有不稳定性,在一年内各季、各月是不均衡的,年际间也有起伏。评估中通常按水库可研阶段淹没调查前一年,或前两年企业的财务状况,计算停产月平均直接损失费。各种损失费的具体计算办法和规定将在下面章节中详述。

五、土地征用及场地平整等补偿费

工矿企业场地往往是和城镇建设用地交织在一起。许多城镇历史上一般没有事先作出规划,而是一栋一栋、一片一片发展起来的。沿江许多小城镇或是先由货物集散地、码头、港口、交通点发展成为城镇,或是先建工厂后在其周围逐渐形成集镇。因此,老城镇往往是工厂、住宅、商贸混杂,交通拥挤,不仅生产、生活环境状况很差,而且制约进一步的发展。新城镇建设将依据《城市规划法》,根据城市性质、发展目标,将住宅用地、商业用地、对外交通用地、仓储用地、工业用地和绿化用地进行统筹规划,功能分区,合理安排。即使半淹城镇也将积极调整、逐步实施,使之适应现代交通、商贸、居住和工作需要,改善生活和生产环境,促进经济发展和生活质量的提高。

受淹工矿企业搬迁地点,将根据企业性质、规模以及淹没影响程度,服从城镇总体规划的安排。在城镇迁建人口规模和建设用地规模中考虑了工业用地。这些用地的征地补偿费及相应的三通一平等基础设施补助费,在城镇迁建补偿中一并考虑。因此,工矿企业迁建用地及场地平整补偿费,含在城镇征地及基础设施补偿费中。在三峡工程库区淹没处理中,工矿企业补偿费计算时执行以下规定:

(1)随城、集镇迁建的受淹工矿企业,其征地、场地平整费在城、集镇迁建建设投资中统一安排,不再单独安排征地和场地平整补偿费。厂址和平场后的土地面积由新城、集镇建设部门提供。

(2)在城、集镇外的受淹工矿企业,如果迁入新城、集镇,则其人口和占地指标,将纳入新城镇一并统筹规划。如果原是位于城、集镇内的工矿企业,因某种原因需在新城、集镇之外建设,将安排征地与场地平整补偿费,则其人口及占地指标从迁建城镇相应指标中扣除。

(3)受淹工矿企业迁建征地面积。受淹工矿企业新址占地面积以淹没实物指标调查时登记的厂区面积为准。工矿企业在城、集镇居民区内的住宅、门市部、商店、招待所等建筑物的占地面积,在城、集镇迁建用地规划中统一考虑,征地费用统一安排。

(4)若受淹工矿企业迁建由于技改扩大规模,新址用地超过其淹没厂区面积,则由该厂向城、集镇交纳征地费和基础设施费。

(5)受淹工矿企业迁建土地的征用属政府行为,原有土地和新址土地的价格中,可不考虑区位和地段变化因素。库区移民工程建设用地为统价、统征、统用。

六、资源性生产资料的淹没补偿

资源性生产资料如煤矿、铁矿、石灰石矿、河沙、黏土矿等的淹没补偿是个很复杂的问题。一般来说,对这些被淹没的矿产企业,可根据受淹资源的储量、级别、等级、价值、重要性和国家相关政策处置,给予合理补偿。补偿之后,由它们另找替代矿产开发或转产。

矿产企业淹没补偿中的下列几种情况,可不予补偿:

(1)其资源已经枯竭,没有继续开发价值者;

(2)由于矿产资源的开发已经形成大范围污染,环境保护部门已明令停产者;

(3)开采的矿产品质差、灰分高、热量低,无开采价值,被行业主管部门决定停止开采者;

(4)本身就是违法开采者。

以上情况,只是补偿一些污染清理和设施拆除等费用。

七、其他

水库淹没处理中对一些特殊资产或特殊问题的补偿,要根据具体情况研究处理。

第四章　受淹工矿企业固定资产补偿评估方法

在水利水电工程水库淹没处理中，受淹工矿企业固定资产补偿评估方法，根据其评估目的主要采用重置成本法进行。有时也可根据具体情况采用收益现值法、现行市价法和清算价格法以及别的资产评估方法进行评估。

第一节　重置成本法

一、重置成本法基本概念

重置成本法，是按评估基准日时点的价格水平，重新购置或建造一个具有同等功能的全新资产，所需要的全部直接成本和间接成本（即重置成本），减去该资产已经发生的实体性贬值、功能性贬值和经济性贬值的差额，得出该资产评估值的一种方法。资产评估值也称资产估价值，在重置成本法中也称重置净价或重估净值。计算公式为：

$$资产评估值 = 重置成本 - (实体性贬值 + 功能性贬值 + 经济性贬值) \tag{4-1}$$

这种评估方法也可以采用先估算资产对象与其全新状态的成新率，然后用重置成本乘以成新率，就是该资产真正的现实价值——重估净值，亦称资产评估值。计算公式如下：

$$资产评估值 = 重置成本 \times 成新率 \tag{4-2}$$

二、重置成本的确定

重置成本是指被评估资产在评估基准日的时点条件下，重新购置、建造或形成与被评估资产的形态、功能完全相同或基本相同的全新状态下的资产，所需的全部直接费用和间接费用。

重置成本有复原重置成本和更新重置成本两类。复原重置成本是指用与被评估资产相同的材料、结构、设计标准、技术工艺，按基准日时点的价格再购建与被评估资产功能、形体相同的全新状态的资产所需的成本。更新重置成本，指用新材料或新结构、新设计标准、新技术工艺按基准日时点的价格购置或建造与被评估资产功能、形态相同或基本相同的全新资产所需的成本。

重置成本的估价方法有如下 4 种。

（一）直接成本法（或称细节分析法）

直接成本法是根据被评估资产的具体情况，分种类形成相对独立的若干部分，按基准日时点的价格水平，根据成本构成的项目，逐项、逐目计算各部分的重置成本，包括直接成本和间接成本，然后分项、分类汇总，得到总资产重置成本全价的方法。

直接法比较准确，但工作量大，常用于可重建或可购置的资产如房屋、机器设备等类固定资产的评估。计算公式为：

$$\text{评估资产重置成本} = \text{资产的直接成本} + \text{资产的间接成本} \quad (4-3)$$

（二）物价指数法

物价指数法是以被评估资产原始记录成本为基础，按国家公布的同种、同类资产历年价格指数，用统计预测方法，查出被评估资产购建日与评估基准日的物价指数，进而推测估算其重置成本的一种方法。计算公式为：

$$\text{重置成本} = \text{资产的历史成本} \times \text{购置日至评估基准日同类资产物价指数} \quad (4-4)$$

式中：

$$物价指数 = 同类资产 \times \frac{资产评估基准日物价指数}{资产购建日物价指数}$$

（三）比较成本法

比较成本法，是用与被评估资产环境条件相似，并已形成的同类资产作参照物，选该类资产中有代表性某项或几项价格指标，将参照物和被评估资产代表性价格指标与同项指标相比，得出比较系数，再分析、推算评估对象的重置成本。计算公式为：

$$重置成本 = 参照物在评估基准日时价 \times 比较系数 \tag{4-5}$$

式中：

$$比较系数 = \frac{被评估对象某项（或几项）指标值}{参照物同项（或几项）指标值}$$

（四）生产力指数成本法

根据规模经济效益方面的经验，一项资产的生产能力和它的建设成本往往呈指数关系，不一定是线性关系。因此，用相同或相类似资产有关生产能力与成本系列数据资料，进行统计分析，得出规模经济指数，即行业生产力指数，用来调整生产力和购建成本之间的非线性关系，进而可以估算被评估资产重置全价。这种资产评估方法称生产力指数成本法，也叫规模效益指数法，常用于工业企业整体资产评估，或具有应用条件的单项资产评估。计算公式为：

$$评估资产重置成本 = 参照物重置成本 \times \left(\frac{被评资产的生产能力}{参照物的生产能力}\right)^{x} \tag{4-6}$$

式中　x——行业生产力指数，该行业统计经验指数。

三、资产贬值

任何一项资产在购建之后，随岁月的推移都会有自然损耗，使用和运行必然会产生磨损，外部经济环境的变化、技术的进步会使资产陈旧，另外还有很多因素也会使资产贬值（文物、古玩、艺术品除外)。根据资产贬值的性质,可分为以下几种。

(一)实体性陈旧贬值

实体性陈旧贬值是指由于使用、运行磨损和自然力耗损造成的贬值，也称有形损失贬值。确定资产实体性陈旧贬值，要综合考虑资产的材质、设计、建造、环境、使用、磨损、维护、修理、改造情况等因素。将现状与全新状态相比较，分析由于使用磨损和自然力耗损对该资产寿命产生的影响，从而确定实体性陈旧贬值的额度。

实体性陈旧贬值和会计账面的折旧不是一回事,不能用会计账面的累计折旧额代替实体性陈旧贬值。会计账面上的折旧是指固定资产在使用过程中,其价值逐渐转移到产品成本中的已磨损部分价值。折旧率、折旧年限是国家对某一类固定资产规定的会计统一处理标准,是一个理论性的系数,对于该类固定资产的损失程度、速度具有同一性、普遍性和法定性,但不具有具体被评估资产损失情况的特殊性、个别性。具体到被评估资产时必须通过实地勘察、检测、鉴定实际损失程度来确定贬值程度。

但折旧系数有时也具有政策性,如国家为了加速某种固定资产产品的更新换代,可以用政策规定将折旧系数提高,以缩短折旧时间。

实体性贬值估算方法一般又分为年限法和成新率法两种。

1. 年限法

年限法是用被评估资产已使用年限和它的总寿命之比值,来确定其实体性贬值程度。计算公式为:

$$\text{资产实体性贬值} = \text{重置成本} \times \frac{\text{实际已使用年限}}{\text{实际已使用年限} + \text{尚可使用年限}} \times 100\% \quad (4-7)$$

式中:

$$\text{实际已使用年限} = \text{名义已使用年限} \times \text{资产利用率}$$

$$\text{资产利用率} = \frac{\text{截至评估日资产实际利用时间}}{\text{截至评估日资产法定利用总时间}} \times 100\%$$

名义已使用年限是指资产从购进使用到评估时的年限。

2. 成新率法

成新率法是通过对被评估资产对象的实地勘察、查阅使用记录并进行技术鉴定，再与同类或相似全新资产进行比较分析，判断被评估资产的陈旧程度，即成新率，从而估算其实体性贬值的一种方法。其计算公式为：

$$资产实体性贬值 = 重置成本 \times (1 - 成新率) \times 100\% \tag{4-8}$$

式中，成新率是指因实体有形损失产生的成新率，其计算公式为：

$$成新率 = \frac{重置成本 - 实体性陈旧贬值}{重置成本}$$

成新率还可以用权重来计算，即用各种影响成新率因素的分值及权重相乘，然后累加就可确定。如果以影响因素的分值为"A"，相应权重为"a"，则表达式可以写为：

$$成新率 = \sum_{i=1}^{n} A_i a_I$$

式中 A_i——用各种成新率检测手段确定的分值，一般代表被评资产对象的性质，当评估目标 $0 < A_i < 1$ 时，可分别采用下列方法确定：

$$A_1 = 专家评审打分值$$

$$A_2 = \frac{预计尚可使用年限}{实际已使用年限 + 预计尚可使用年限} \times 100\%$$

$$A_3 = 1 - \frac{修复费}{重置成本(即再生产成本)} \times 100\%$$

$$A_4 = 行业检测标准打分值$$

$$A_5 = \frac{被评估资产预期收益净现值}{全新设备资产预期收益净现值} \times 100\%$$

a_i——各种成新率检测手段检测过程中获得的经验权重，一般 $\sum_{i=1}^{n} a_i = 1$；

n——影响成新率因素的个数。

（二）功能性陈旧贬值

功能性陈旧贬值是指由于社会发展、科学技术进步，被评估资产在技术上呈相对落后状态产生的价值贬值。资产的功能性贬值在实际经济生活中很普遍，最明显的是电子计算机、电子电气设备更新换代很快。功能性贬值在资产评估中可以从两方面来进行估算。

1. 一次性投资功能性贬值

如果被评估资产的复原重置成本比其更新重置成本大，其超出部分称为资产的超额投资。这个超额投资就是资产的一次性投资功能性贬值。因此被评估资产的价值，如果没有其他贬值因素，则就是其更新重置成本。一次性投资功能性贬值计算公式如下：

$$一次性投资功能性贬值 = 复原重置成本 - 更新重置成本 \quad (4-9)$$

例如，三峡库区某些抗战或新中国成立前修建的工厂、房屋（包括车间、办公楼），至今仍是砖柱、木梁（或铁木组合梁）、竹篱笆加灰泥墙体的原结构建筑，如果要按原面积、原结构、原材料、原工艺复原重置，单价假定为800元/m^2，而以同样面积、高度的砖混结构更新重置单价假设只有500元/m^2，较之重置单价少300元/m^2，则超额投资单价为300元/m^2，这就是一次性投资功能陈旧贬值。如果没有其他贬值因素，该房屋的实际单价只能是500元/m^2。

再如，库区某地一小火电厂燃煤蒸汽发电机组，是六七十年前从外国退役军舰上拆下来（还不是文物）的，使用至今，现在已找不到生产这种设备的厂家，如果复原重置，其成本是一个很吓人的数字。假若经全面分析，重新制造、安装这台机组需要400万元，而由于科学技术的进步，近期生产相同功率的燃煤蒸汽发电机组的时价最高为360万元/台，该电厂燃煤机组的一次性投资的功能性贬值按式(4-9)计算，则为400万元/台-360万元/台=40万元/台。

2. 营运性功能陈旧贬值

营运性功能陈旧贬值，是由于继发性超额营运成本造成的功能性贬值。被评估资产和新式的替代资产相比，在原材料、动力、燃料及劳动力等方面的消耗较多，废品率较高，维修费用大。因为有这些因素，被评估资产比新式替代资产多出部分成本开支。这部分开支就叫超额营运成本，即被评估资产的功能性陈旧贬值。

由于这种贬值是连续发生在该资产的全部剩余寿命期，因此，计算这种功能性陈旧贬值应该采用收益现值法进行估算（收益现值法在以后的章节中介绍）。

（三）经济性陈旧贬值

被评估资产在市场上的价值，不仅要鉴定其新旧程度，分析其自身获利能力，而且要考察、分析外部环境对它自身获利能力的影响。资产经济性陈旧贬值就是因外部经济环境变化造成资产开工率不足、营运不良、达不到设计状况而引起的贬值，而不是资产本身或内部因素造成的。计算经济性陈旧贬值，主要是根据产品滞销（如工厂），开工不足或停产（如宾馆、饭店客房率低）等形成资产闲置，资产的价值得不到实现等因素确定其贬值额度。在资产运转正常时，不考虑经济性陈旧贬值。

资产产生经济性陈旧贬值的原因很多，如国内、国际市场对该资产的产品需求下降或竞争激烈；原材料、劳动力等费用变化使成本高于产品价格；通货膨胀、高利率；环保要求及政府政策调整，不利于资产的营运等。

例如，三峡工程库区在20世纪60年代建设的三线工业项目的专用基建设施，投资很大、质量很好，虽然因为国家对该类工业的总体布局调整，这套设施及部分设备没有使用过，且保养得很好，从有形损耗来鉴定可以较小。但这套庞大的基础设施，确实处于英雄无用武之地的局面，如果找不到其他利用价值，它就成了分文不值的“废品”，它的功能性和经济性陈旧贬值为百分之百。

因为造成一项资产经济性陈旧贬值的原因很多，各因素引起的贬值程度也肯定不尽相同，单独计算某一因素造成的贬值一般都很复杂而且困难，但是各因素影响造成的贬值结果只有两类，即营运成本上升效益下降和资产闲置使价值得不到实现。所以，从资产价值评估来说，通常首先掌握资产的营运成本和实有生产水平，然后再从总体上进行估算。对经济性营运成本上升引起的资产贬值，可以利用收益法进行估算。对生产力闲置引起的资产贬值可以用资产营运时间或其他指标作对比估算，如工厂设备开工率、宾馆客房率等。计算公式如下：

$$\text{经济性贬值} = \text{重置成本} \times \text{营运率} \tag{4-10}$$

式中：

$$\text{营运率} = 1 - \frac{\text{被评估资产实际营运指标(时间或其他指标)}}{\text{被评估资产设计正常指标(时间或其他指标)}} \times 100\%$$

在资产运转正常时，一般不考虑经济性贬值。

四、重置成本法的适用范围

重置成本法的优点是对被评估资产情况与各种性质的贬值因素进行比较仔细全面的定量分析，具有很强的真实性，特别是在物价波动幅度大、币值不稳定的情况下，采用此方法具有较高的公平性和可信度。重置成本法的缺点是对资产未来的经济环境、条件没有预测评估分析。因此，在对企业整体资产进行评估时，若采用重置成本法，则必须依据其具体情况，辅之以其他方法。重置成本法适用于：被评估对象重置不改变原来用途的资产；进行补偿的资产，与参照物具有可比性、可再生或可复制、可重建或购买，而且是具有有形损耗和无形损耗的单项资产；随着时间的推移具有陈旧性贬值的资产等。重置成本法不适宜对土地、矿藏、文物、古玩、收藏品等资产的评估。

重置成本法评估涉及经济参数多，操作难度大，工作量大，评估时间长，投入人力多。

要特别强调的是，评估采用的固定资产重置成本是其客观成本，也就是一个地区该类固定资产的社会平均成本，而并非简单的由实际建造工程价或购置价形成的实际成本。因为固定资产的价格是社会一般的公平耗费和社会平均盈利形成的客观价格，它直接取决于效用，只有对该固定资产效用起作用的投资花费，才能形成其社会价格。而对固定资产效用不起作用的投资花费不能形成价格。如果超出了社会一般的公平耗费，超出部分不但不能形成价格，而且是一种浪费。而低于社会一般公平耗费的部分，也不会降低价格，只会形成超额利润。

因此，在使用成本法评估固定资产重置成本时，不能使用施工单位编制的预算资料，即使经过造价、审计部门审核的决算资料也必须进行鉴别、分析。对于在固定资产建造或购置中因偶然因素、决策失当、管理不善等引起的损失或增加的费用，虽然可以是工程造价决算的合理组成部分，但它们不是该固定资产的客观造价。应当剔除固定资产建造或购置决算中不能形成客观造价的因素后，来估算其复原重置成本。

例如，一座36门的轮式砖窑，查其审核后的决算资料，其决算单价为4.8万元/门。而这个地区大多数相近时间规模相同的同类窑决策单价为3.0万～3.6万元/门，平均单价为3.4万元/门。经分析，该窑的单价成本高于平均水平是因为地下文物的发掘影响，工期延长、工效降低，而使工程造价大大增加。这是偶然因素，其增加的费用是该窑工程造价的一部分，但不能形成客观造价。因此，此轮窑的重置成本只能大致按3.4万元/门的平均单价水平估算。

又如房屋等建筑工程，因设计不合理、设计变更等原因增加的费用，因阴雨、地震、洪水自然灾害影响而增加的费用，因资金不到位而工期拖延、管理不善、原材料浪费而增加的费用，因地下管线或文物发掘等不属该地区同类房屋建筑工程正常情况而增加的建安工程费用。虽然是该建筑工程实际造价的一部分，但不能形成其客观造价。因此，计算复原重置成本时应该剔除这些偶然因素。

再如，某大型机器设备，由于购置期过早、存仓保养期太长，或运输不当、安装水平低，或出现事故等原因，而使总费用大大增加。这些增加的费用只能形成实际价格，而不能形成客观价格。所以在使用重置成本法时，对有关方面的建筑造价或设备购置、安装资料，即使是审核部门审核过的资料，也要认真、全面分析，对超常规情况的资料要鉴别，不可盲目套用。

第二节 收益现值法

一、收益现值法的基本概念

收益现值法又称收益法、收益本金化法和收益还原法。收益现值法是从资产收益的观念来看待资产的市场价值，它不从资产购建价格的构成分析资产的价值，也就是它不管资产购建的“贵”、“贱”，只看重资产的收益能力。它利用资产剩余经济寿命和在本金市场等价交换特征的收益现值指标，对被评估资产价值进行计算。即收益现值法是通过对被评估资产在未来尚可使用期，即将资产剩余经济寿命内各收益周期的预期收益，选择适宜的折现率折算成评估基准日时点的现值，并将各周期预测收益现值累加求和，作为被评资产评估价值的一种方法。

即被评估资产的评估价值等于未来使用期内各时段(收益周期)收益现值之和。基本公式为：

$$P = \sum_{i=1}^{n} R_i/(1+r)^i \tag{4-11}$$

式中 P——被评估资产(基准日)评估价值；

R_i——未来第 i 个收益周期预期收益额，收益期有限时，R_i 中还包括期末资产剩余净额；

r——折现率；

n——收益年限。

二、收益现值法的评估要素

收益现值法是分析被评估资产在未来使用期的获利能力，因而未来使用期的时限、预期获利额和折现率是收益现值法的三要素。

（一）获利能力的时限（收益期限）

资产未来可使用年限也称资产剩余经济寿命或剩余获利能力时限，是指被评估资产在评估基准日之后，使用到在经济上不获利的时间段。

资产的使用年限即资产寿命按其性质可以分为3种，即自然寿命、技术寿命和经济寿命。

资产的自然寿命，是指资产从开始使用（或者从生产成品之日起）就产生实体性陈旧贬值，最后达到报废为止所经历的年限。这里所指的资产，一般是指具有独立生产、运行、经营能力或创收能力的单项资产或整体资产。在计划经济体制下，企业经济效益不高，甚至常年亏损的情况相当普遍，但也应注意到有一些是政策性亏损。在市场经济体制下，为产权交易进行的资产评估，经营者是以资产能否持续产生纯收益作为标准的。资产剩余经济寿命与资产内部的经营机制、外部经济环境、社会经济发展趋势等诸多因素有关。剩余经济寿命估计过长，将会使资产现时价值带有水分，反之，则低估了其现时价值，这都会影响我们的决策，因此必须慎重对待。

（二）预期收益额

预期收益额是被评估资产在剩余经济寿命期内可能获利的资金额度。在我国国内企业由于各种所有制、国家有关政策影响等因素，目前对收益范围的认识并不一致。一种意见认为，从资产以产权变动买卖交易为目标的资产评估，所有者所说的收益应是其净收益，既不包括国家的各项税金，也不包括投资银行以及其他债权人获得的利息。另一种意见认为，在某些还存在政策性亏损的国有企业及国企与外资合作企业，应当考虑上交国家的税金。因为税金是对国家的贡献或是国企收益权的形式之一。

被评估资产在剩余经济寿命期内获得的纯利润，主要是税后利润，此外还应包括固定资产累计折旧变现收入、无形资产和其他长期资产的变现收入。固定资产累计折旧变现是否作为纯收益是有条件的，要与资产经营方式和剩余经济寿命计算联系在一起。流动资产由于能够一次性转化为产品，故一般不计算这一部分资产价值。

(三)折现率或本金化率

资金是有时间价值的。同质同量的资金在不同时点具有不同的价值。为了正确评价资产价值，就必须将该资产不同时点创造的收益资金额，换算成同一时点的资金额。折现就是把被评估资产，在将来的现金流量折算成基准日时点的现值。折现利息与本金之比称为折现率。

折现率有行业基准收益率和社会折现率两种。行业基准收益率是指某行业进行基本建设所应达到的最低投资效果。国家对不同行业，根据其实际条件规定不同的基准收益率。具体评估时折现率主要以本行业资产基准收益率、行业资产收益水平为基础，结合社会资产收益水平以及被评估资产实际资产收益水平，还有对未来变化预测综合确定，折现率计算公式如下：

$$\text{折现率}(r)=\frac{\text{年收益总额}}{\text{收益现值}} \qquad (4-12)$$

三、收益现值法适用范围

收益现值法适用于资产与经营之间有稳定比例关系，并且可以计算未来收益、可以正确预测资产的价值评估。

运用收益现值法，必须考虑社会一般收益标准。因为投入资金经营企业，都是期望获得经营利润，即资金回报的，但实际运作中可能赚钱也可能赔钱，是有收益风险的，要根据预期收益难以实现的可能性确定风险报酬率。一般来说,除有可靠凭证表明被评估资产确实具有高收益水平,或高风险以及确有特殊情况之外,当预期收益是净利润、资产是净资产时,折现率取值一般不超过15%,风险报酬率一般不超过5%。为了防止使用本办法出现偏差,用评估的预期收益与资金存入银行以购置国库券利息的安全收益相比较,进行判断。

第三节　现行市价法

一、现行市价法的基本概念

现行市价法亦称市价法或市场价格比较法。是指在市场上选择若干个与被评估资产相同或相近似的资产作为参照资产,针对影响资产价格的各项因素,与被评估资产一一进行对比分析,逐项进行价格差异调整,再综合分析各项调整结果,来确定被评估资产评估值的一种资产评估方法。

二、现行市价法的基本要素

(一)参照物

参照资产与被评估资产必须是同种同类资产,在用途、性能、结构、规模、时间、地域上相同或相近,参照资产与被评估资产一般说还应该是一个市场环境范畴,即参照资产与被评估资产两者有很强的可比性。通常参照物应选择在两个以上。

(二)价格差异调整参数或修正系数

即根据不同种类资产价值形成的特点,选择对资产价值形成影响较大的因素作为对比指标,在参照物与评估对象之间进行比较,对两者之间的差异进行量化和货币化,提出价格调整参数或修正系数。

三、现行市价法评估程序及方式

（一）现行市价法评估程序

第一步，详细分析被评估资产的特征。

第二步，选择可比性较强的参照资产，了解、分析参照资产购销双方进行交易的目的及有关情况，然后确定参照物的现行市价。

第三步，将被评估资产与参照资产作对比分析，找出两者的差异。

第四步，根据对比差别进行价差调整，计算出被评估资产的价值。

（二）现行市价法评估方法

现行市价法评估方法，还可以分直接法和类比法。

(1)直接法。如果在市场上能找到与被评估资产完全相同的已成交资产，或者购建日期与评估基准日相近（注意其间应没有国家大的经济政策出台或物价波动、行业建设定额修改）的现行市价或账面原始价格，即可以此参照物的价格作为被评估资产的现行市场评估价格。

采用现行市价直接法计算资产评估值的计算公式如下：

$$\text{资产评估值} = \text{相同参照物的市场价格} \qquad (4-13)$$

(2)类比法。指在公开市场上找不到与被评估资产完全相同、购销时间与评估基准日时点较短的参照资产。但在市场能找到与被评估资产相类似，购销时间距评估基准日时点并不太长的几个资产的市场价格时，可以将这些价格作为参照物的资产成交价格，并作必要的价差调整，然后取其平均值作为被评估资产的现行市场评估价。

资产评估值的现行市价类比法计算公式如下：

$$\text{被评估资产评估价} = \frac{\text{各参照资产调整后的市场价格}}{\text{参照资产个数}(n)} \qquad (4-14)$$

式中：

$$\text{某个参照资产调整后的市场价} = \text{市场价格} \times \text{时间调整系数} \times \text{地域调整系数} \times \text{功能调整系数}$$

四、现行市价法适用范围

现行市价法充分反映了市场变化因素,比较真实地反映了评估时的市场价格。它比重置成本法灵活、简便、工作量小,并且非常直观,易被人们接受。缺点是考虑价格构成因素不如重置成本法全面,而且必须有一个公开、活跃的市场为基础,有一定同种、同类可比的参照物。因此,现行市价法适用的条件是:被评估资产影响价格因素明确,而且可以量化;存在一个公开活跃的市场,而且能找到3个或3个以上与被评估资产相同、相近具有可比性的参照物。

第四节 清算价格法

一、清算价格法的基本概念

由于企业破产、停业、结算、抵押以及其他原因,要求在一定期限内将企业资产变现,而不需清算基准日预期出卖资产可收回的变现价格,称之为清算价格。清算价格法是指以清算价格为标准,对被评估资产价格进行评估的一种方法。资产出售的方式可以是一项整体资产或单项完整资产,也可以是拆零资产。具体采用何种形式,一般以变现速度快、变现收入高为原则。

二、清算价格法的适用条件

清算价格法的适用条件是:具有法律效力的破产处理文件或抵押合同及其有效文件;资产以整体或拆零可以在市场上迅速出售变现;所卖收入能够支持因出售该项资产的附加支出总额。清算价格法适用于以下几种情况:

(1)企业破产。企业因经营不善等原因造成严重亏损,不能清偿到期债务,可以依照破产法宣告破产。法院以其债务人全部财产依法清偿其所欠债务,不足部分不再清偿。

(2)抵押。是指以抵押人所有的某项资产作抵押物进行的一种融资行为,抵押合同双方各以自己特定财产向对方保证履行合同义务。在抵押人不履行合同时,抵押权人有权将抵押财物在法律允许范围内变现,并优先从抵押物变卖价款中得到补偿。

(3)清理。是指企业因经营不善等原因导致严重亏损,已临近破产或无法继续经营。为了弄清企业财产现状,而对全部财产进行清点、查核,为企业经营决策方向提供依据。

对于以淹没补偿这一特点目标而进行的评估,采用清算价格法显然是不合适的。

三、清算价格的评估方法

(一)整体评估法

整体评估法首先确定该资产或企业能否继续经营使用,其次再根据具体情况进行评估。当企业资产能继续使用或企业整体能继续运行(经营)时,可以用市价现值法、重置成本法进行评估;当企业资产不能继续使用或企业整体不能继续运行(经营)时,则只能估其残值。

(二)现行市价折扣法

现行市价折扣法是指对被清理资产,首先在市场上寻找一个相适应的参照资产,然后根据快速变现原则提出一个折扣率,计算其清算价格的方法。

(三)模拟拍卖法

模拟拍卖法也称为意向调价法。这种方法是根据与被评估资产的潜在购买者调价的方法,取得市场信息,而后经评估人员全面分析确定其清算价格的一种方法。

第五章　受淹工矿企业固定资产申报与界定

受淹工矿企业固定资产申报与界定是补偿评估工作的基础和前提，关系到补偿评估对象与范围是否符合政策规定，是否真实地反映了工矿企业的淹没损失。实践证明，固定资产申报与界定工作质量直接影响到评估成果的质量。因此，在淹没补偿评估中必须高度重视这项工作。

第一节　固定资产申报与界定的必要性

一、固定资产申报与界定是法定程序要求

根据中华人民共和国国务院令第 91 号《国有资产评估管理办法》，资产评估工作由申请立项、资产清查、评定估算、验证确认 4 个阶段组成。受淹工矿企业补偿评估作为资产评估在水库淹没处理中的运用，应参照上述程序进行。

在资产评估中，固定资产申报工作是在立项阶段完成的。在评估项目立项时，委托方要向有关主管单位报送被评固定资产基本情况资料。受淹工矿企业补偿评估项目在立项上与通常的资产评估方式不同，不是由每个受淹工矿企业单独申请立项，而是由水利水电工程项目设计单位在报送水库淹没处理及移民安置规划大纲时统一立项。一旦规划大纲批准，即视同受淹工矿企业补偿评估立项。在评估项目立项后，各受淹工矿企业即开始固定资产申报工作。通过固定资产申报，促进各受淹工矿企业进一步摸清家

底，避免在实施搬迁时出现遗留问题。

二、固定资产申报与界定是水库淹没处理规划阶段的重要内容

水库淹没处理规划的基础工作是水库淹没实物指标调查。按照现行的水库淹没处理技术规范，受淹工矿企业实物指标调查内容，包括厂区占地面积、房屋结构与面积、主要建筑设施的结构与数量、主要设备的数量及经济指标。房屋类的实物调查指标比较详细，而设施、设备方面实物指标比较粗略，需要在水库淹没处理规划阶段进行补充，要求各工矿企业进行固定资产申报。

在水库淹没处理规划中，要确定工矿企业的迁建方案。因迁建方案不同，水库淹没处理范围也有差异。尤其是有的工矿企业虽局部受淹，但可能需要全迁。由于淹没实物指标调查的重点是淹没线下的固定资产，对淹没线上的固定资产未进行调查，需要在规划阶段进行补充，对这部分需要处理的固定资产，也需要企业对固定资产进行申报。

三、固定资产申报与界定是补偿评估工作的基础

补偿评估要求对固定资产逐项、逐幢、逐处、逐件进行，需要根据不同资产的具体特点、搬迁损失性质和程度确定补偿值。但是在水库淹没实物指标调查中，按照规范要求，因工矿企业的规模不同、固定资产类型不同，调查深度是不一样的。对大中型工矿企业，要详细调查房屋设施、设备的实物量，而对小型工矿企业则比较简单，主要调查其房屋面积和关键设施、设备。因此，实物调查指标阶段的工作深度，难以满足核算各工矿企业补偿投资的需要。尤其是水库淹没的多是小型工矿企业，若在评估时不进行固定资产申报，则补偿评估工作就缺乏法定的、可靠的基础，可能留下较多的遗留问题。因此，在进行补偿评估时必须认真进行固定资产

申报,以全面、真实地反映工矿企业淹没损失,为补偿评估工作顺利进行奠定基础。

第二节　固定资产申报

固定资产申报,即指被评估工矿企业按照补偿评估要求,依据淹没实物指标,填写受淹固定资产清单,并准备有关财务、固定资产以及产权凭证等有关资料。固定资产申报应按补偿评估技术要求进行。

一、固定资产申报原则

申报固定资产时应遵循以下原则:

(1)申报的依据必须按设计单位、地方政府和工矿企业共同确认的淹没实物指标进行。对淹没调查之后增加的实物量和因迁建方案需要纳入评估范围的有关资产,均要单独列出。

(2)申报应按补偿评估技术要求进行。首先要区分淹没线上、线下固定资产,再进一步细分账内、账外和在建固定资产。账内固定资产是指实物存在、在用,并登记在企业固定资产账册上的实物;账外固定资产是指实物存在、在用,企业固定资产账册上没有的实物;在建固定资产指有有效批文,在淹没调查中登记的、正在建设的或已完工但尚未竣工的工程。

(3)固定资产申报的实物量要以停建令时间为准。如三峡工程水库淹没工矿企业固定资产的实物量,要以国办发[1992]17号文《关于严格控制三峡工程坝区和库区淹没线下区域人口增长和基本建设的通知》规定的时间为准,而不能以评估工作时的固定资产实物量为准。对于停建令以后增加的固定资产实物量,符合政策的申报,不符合政策的不能申报。各水利水电工程在决定兴建时也会有类似的时限规定。

(4)申报成果要经企业填报人员、企业负责人、企业签字盖章后报地方移民主管部门审查后,再转交评估机构。

二、申报工作的具体要求

(一)房屋

房屋按结构划分为框架、排架、砖混、砖木、简易等类别,逐幢填报,各项数据要按设计单位、企业和地方政府,共同认可的淹没实物指标调查数据填写。

(二)设施

设施在水库淹没实物调查中比较粗略,是申报的重点。申报时应按下面要求进行:

(1)对于淹没调查时只登记×××设施、原值××万元的情况,申报时应填清楚其结构、规格尺寸、数量等反映其特征的有关参数。

(2)对于淹没调查时只登记×××设施、数量1座(1条)的情况,申报时应填清楚其结构、规格尺寸等参数或指标。

(3)对于已在房屋评估中考虑过的房屋内的照明线、动力线、附属开关插座及供水管,企业不需申报。

(4)对于淹没调查表中包含的厂区公路、输电线、码头、通讯线等,要区分厂区内外分别填表。对于厂区内的挡土墙,要另表填写。

(5)对于淹没调查时登记的×××设施,数量为汇总数,申报时应分项、分处填写结构、规格尺寸、数量等。分项之和应与汇总数量相等。

(6)设备的基座已在设备搬迁损失和安装费中考虑,一般不再单独申报。

(7)设施实物量计量的单位要按统一技术要求进行。在三峡库区受淹工矿企业补偿评估时,统一规定了设施实物量填报单位,具体要求见表 5－1。

表 5－1　**设施类固定资产填报单位技术要求**

名称	材质、结构及规格	计量单位	备注
晒场	碎石、水泥、混凝土	m^2	
厂区公路	碎石、条石、混凝土	m^2	
围墙	砖(石)砌、厚度	m^2、m	m 指长度
生活水池	砖(石)或混凝土、壁厚	m^3	容积
工业水池	砖(石)或钢混凝土、壁厚	m^3	容积
花坛	砖(石)砌	m^2	
梯步	材料	m^2 或延米	
操作平台	砖(石)砌	个	
厂大门	材料	座	
水塔	材料、高度、容积	座	
烟囱	砖(混凝土)、高、上口直径	座	
砖窑	材料、结构能力	座	
排水沟	砖(石)砌、净高、净宽	m	
室外输电线	35kV、10kV、380V、220V 线材、线径	km(一回)	
室外供水线	材料、管径	km	
码头	浆砌(毛石、条石)高、宽	m^3	
通讯线	材料、线径	杆 km	
挡土墙	干砌(浆砌)、高、宽	m^3	
防空洞	材料、净高、净宽	m	

(三)设备

设备是固定资产申报的重点,应逐台填写名称、规格型号、生产厂家、购入年月、原值和净值。对非标准设备,要填写主要结构、材质,说明有关技术参数。设备项应包括淹没实物调查时在设施中登记的设备基座。

三、申报步骤

受淹工矿企业资产申报由以下两个步骤组成:

(1)布置受淹工矿企业固定资产申报工作。一般由政府部门或移民部门，召开受淹工矿企业负责人参加的“受淹固定资产申报工作动员会”，由评估单位解释评估目的、意义和填报要求以及注意事项。

(2)受淹工矿企业固定资产申报。由纳入评估范围的受淹工矿企业厂家，按评估单位统一制定的《受淹工矿企业固定资产评估申报表》填表要求填报，并提供相应的基本资料、文件和说明。

四、申报时应提供的资料

各企业在上报固定资产申报表时，应提供以下资料：

(1)房产证、土地使用证、营业执照、税务登记证，码头评估时尚需提供船舶证，矿产企业还应提供采矿许可证及生产许可证；

(2)基准期月份的资产负债表、利润表、损益表；

(3)企业简介及厂区平面布置图；

(4)企业认为需提交的有关资料文件、报告或说明材料。

第三节　固定资产界定

按照评估程序，企业要进行固定资产的申报工作。但是在企业进行固定资产申报时，申报的固定资产范围及对象往往与国家有关政策、规定不一致。为了保证评估补偿对象及范围符合规定要求，就需要对企业申报的淹没固定资产进行界定。所谓界定，就是审查企业固定资产申报表是否符合规定要求，核对申报的固定资产是否与淹没调查指标相符，并弄清固定资产实物量及其增减变化是否符合国家政策规定，进而确定评估对象与范围。

一、界定内容

界定内容一般包括以下几方面：

(1)按淹没线上与淹没线下区分。

(2)按时间区分为淹没实物调查时已登记固定资产和淹没调查之后增加的固定资产。

(3)按淹没调查范围区分为账内、账外、在建(造)实物。账内固定资产,是固定资产账面上存在的固定资产,申报时对同一固定资产既标有账内价值、又标有账外价值的,统一按账内固定资产处理;账外固定资产,指固定资产账面上没有而实际上存在、在用的固定资产;在建实物,是指持有有效批文,淹没实物调查时,已登记在册正在建设(制造)但尚未竣工的固定资产。

(4)在淹没实物指标调查范围之内的基础设施要按厂区内和厂区外区分。

(5)对在淹没实物指标调查中已登记而实物量不明确的固定资产,在企业申报的基础上,要现场丈量、复核予以明确。

二、界定工作的具体要求

(一)淹没线上固定资产的处理

对淹没线上固定资产是否纳入评估范围,要根据工矿企业迁建方案来确定。对跨线(在水库正常蓄水位附近的)的企业固定资产,经有关部门测量确认在淹没线下的,应纳入评估范围;对主要车间受淹,而附属部分不受淹,但须作随迁处理的,要纳入评估范围;对仅附属设施受淹的企业,要区分此部分设施受淹后对整体设施功能的影响程度,据实进行认定,如影响严重的则应纳入补偿评估范围。

(二)淹没调查后新增固定资产的处理

所谓新增固定资产是指在淹没实物调查后增加的固定资产。其中有些受淹固定资产符合补偿政策规定,应纳入补偿评估范围。有些固定资产不符合补偿政策规定,应从申报表中剔除。

淹没调查后增加的下述固定资产纳入补偿评估范围:

(1)淹没实物指标调查后至“停建令”下达前增加的固定资产;

(2)持有有关部门的有效批文,在淹没调查之后建设的限额内技改项目;

(3)持有国家有关部门、省批文,在淹没调查之后建设的非技改项目。

对于企业在淹没调查后自行建设的土建项目,及企业自筹资金进行的技改项目,不得纳入评估范围。

(三)淹没实物指标调查中漏报固定资产的处理

对在淹没实物指标中漏报的固定资产,如属下列情况,则应纳入补偿评估范围:

(1)由于房产证与实际尺寸误差,造成单幢房屋误差率超过5%的房屋;

(2)按建筑面积计算规则,应计入而在淹没实物调查中漏登的架空层、地下室、加层等;

(3)具有完整结构与功能的房屋,但在淹没实物指标调查时漏登的房屋;

(4)淹没调查后未纳入汇总的固定资产。

(四)房屋、设施、设备交叉部分的界定问题

(1)房屋内的装饰、供水管道、照明线路、动力线路、消防设施统一在房屋补偿单价中考虑,不应另外列项;

(2)设备一般基础、支架在设备补偿评估中考虑,不另外列项;

(3)车间内的配管、配线在设备补偿评估中考虑,不另外列项;

(4)车间外的管道、线路作为设施项目评估;

(5)货场、围墙、房屋超深、公路等的挡土墙在相应项目内考虑,场地平整工程作基础设施处理,在城镇迁建规划中统一考虑,不另外列项。

(五)数量多、价值较低的设备分类及统计

对淹没调查登记的单(台)件原值1 000元以下的固定资产分为如下几类:

(1)工作用具(切削工具、冲压工具等);

(2)仪器(如检验仪器、实验仪器、测量仪器等);

(3)生产用具(盛放物品的桶、箱等);

(4)办公用品;

(5)阀门、法兰、紧固件;

(6)生活性设备。

在评估时上述设备设施均按分类评估。不列入设备台数统计中。

三、界定工作方法

界定工作一般由原淹没调查的规划设计单位、地方行政主管部门和评估人员共同进行。界定完成后要填写有关表格,界定成果要求三方签字认可。受淹工矿企业固定资产界定表格见表5-2、表5-3、表5-4。

表5-2　　受淹工矿企业房屋界定

企业名称:

<table>
<tr><td colspan="3" rowspan="3">项　　目</td><td colspan="8">类　　别</td><td rowspan="3">备注</td></tr>
<tr><td colspan="4">企业申报(m^2)</td><td colspan="4">界定(m^2)</td></tr>
<tr><td>框架</td><td>砖混</td><td>砖木</td><td>简易</td><td>框架</td><td>砖混</td><td>砖木</td><td>简易</td></tr>
<tr><td rowspan="5">淹没线下</td><td colspan="2">账内</td><td></td><td></td><td></td><td></td><td></td><td></td><td></td><td></td><td></td></tr>
<tr><td colspan="2">账外</td><td></td><td></td><td></td><td></td><td></td><td></td><td></td><td></td><td></td></tr>
<tr><td colspan="2">在建</td><td></td><td></td><td></td><td></td><td></td><td></td><td></td><td></td><td></td></tr>
<tr><td rowspan="2">合计</td><td>面积</td><td></td><td></td><td></td><td></td><td></td><td></td><td></td><td></td><td></td></tr>
<tr><td>原值(万元)</td><td></td><td></td><td></td><td></td><td></td><td></td><td></td><td></td><td></td></tr>
<tr><td colspan="3">淹没线上</td><td></td><td></td><td></td><td></td><td></td><td></td><td></td><td></td><td></td></tr>
<tr><td colspan="3">漏　报</td><td></td><td></td><td></td><td></td><td></td><td></td><td></td><td></td><td></td></tr>
<tr><td colspan="3">新　增</td><td></td><td></td><td></td><td></td><td></td><td></td><td></td><td></td><td></td></tr>
<tr><td colspan="12">原因分析及凭证:</td></tr>
<tr><td colspan="12">处理意见:</td></tr>
</table>

设计人员:　　地方参加人员:　　评估人员:　　年　月　日

表 5－3　　　　　受淹工矿企业设施类固定资产界定

企业名称：

项目		类别				备注
		申报		界定		
		项	原值(万元)	项	原值(万元)	
淹没线下	账内					
	账外					
	在建					
	合计					
淹没线上						
漏报						
新增						
原因分析及凭证：						
处理意见：						

设计人员：　　　地方参加人员：　　　评估人员：　　　年　月　日

表 5－4　　　　　受淹工矿企业设备类固定资产界定

企业名称：

项目		类别				备注
		申报		界定		
		项	原值(万元)	项	原值(万元)	
淹没线下	账内					
	账外					
	在建					
	合计					
淹没线上						
漏报						
新增						
原因分析及凭证：						
处理意见：						

设计人员：　　　地方参加人员：　　　评估人员：　　　年　月　日

四、固定资产产权核查

为避免因产权属性归属引起补偿纠纷,在进行固定资产核查时,要同时核对其产权文件。对受淹工矿企业固定资产权属核查,要以合法、有效的文件为依据进行。具体核算内容包括以下4部分内容:

(1)房地产权属。对受淹工矿企业房地产的权属,依据该企业所在地的市、县一级政府土地及房屋管理部门核发的土地使用权证和房屋所有权证进行确认。无土地使用证、房屋产权证的企业,应由企业提供经市(县)级土地及房屋管理部门出具的证明。

(2)基础设施。包括供排水、交通、电力、电讯、广播等,应有有关主管部门批准建设的文件、设计资料和验收资料。

(3)机器设备。应通过核实受淹工矿企业合法的会计账表、设备台账、购置设备的财务原始凭证确认。

(4)属于兼并收购的企业,其房屋、基础设施、土地使用权等资产,应有出让方、收购方签署的合法协议,有司法部门的法律公证文件及财务支付款项单据。

第六章　受淹工矿企业房屋补偿评估

在受淹工矿企业固定资产构成中，房屋建筑物占有很大比重。由于房屋建筑物属不可搬迁固定资产，其投资补偿值的合理性，对受淹工矿企业投资补偿值影响较大，因而研究房屋补偿评估十分重要。同时，受淹工矿企业补偿评估有别于一般的资产评估业务，这一点在房屋补偿评估时也表现得非常明显。受淹工矿企业房屋补偿不同于房地产交易，房屋补偿时不考虑区位、层数、朝向以及地基状况等因素。

第一节　房屋分类

一、一般房屋建筑物分类

常见的房屋建筑物主要按房屋用途、主要承重构件材料、建筑结构形式、建筑物层数(高度)、建筑物重要性等分类。

(1)按用途分为4类，见表6-1。

表6-1　　房屋按用途分类

工业用房	商业用房	民用房屋	公用房屋
各类工业厂房、车间、动力设备用房、仓库	商店、门市部、招待所等	住宅、集体宿舍、附属房等	办公楼、综合楼、医院、学校、图书馆、展览馆、剧院、食堂等

(2)按主要承重构件建筑材料分为4类,见表6-2。

表6-2　房屋按承重构件建筑材料分类

钢结构	钢筋混凝土结构	混合结构	其他结构
房屋的梁、柱、屋架等承重构件由钢材制作	房屋的梁、柱、楼板、屋面板均为钢筋混凝土制作,非承重墙用砖或其他材料制成	房屋的墙、梁、柱为砖体或钢筋混凝土,屋面为木架,或墙、柱为砖体,梁、屋面板为钢筋混凝土等不同材料组合结构	1. 砖木结构:房屋的墙、柱为砖体,楼板、屋架为木料 2. 土木结构:墙体为土体,柱、楼板、屋面为木料

(3)按建筑物结构形式分为4类,见表6-3。

表6-3　房屋按结构形式分类

叠砌式	框架式	半框架式	空间结构式
房屋的墙体由砖、石或坯块,用叠砌的方法砌筑而成,楼板搁于墙体上	用梁、柱组成的框架作承重构件,楼板搁于梁上。墙体起围护作用,而不承载	半框架又分两种形式: 1.外部用墙承重,内部用梁、柱承重 2.底部(或下部数层)用框架,上部用墙承重	用空间结构来承受荷载,如盒型空间结构,大跨度空间结构(网架、壳体、悬索等)

(4)房屋按层数分类,见表6-4。

表 6－4　　房屋按层数分类

1～3层	4～6层	7～9层	10层以上	房屋檐高 > 100m的建筑
低层建筑	多层建筑	中、高层建筑	高层建筑	超高层建筑

(5)房屋按重要性等级分类,见表6－5。

表 6－5　　房屋按重要性分级

	一级	二级	三级	四级	五级
重要性	具有历史性纪念性的重要建筑物	重要的公共建筑	比较重要的公共建筑	普通建筑	15年以下的简易建筑
耐久性	100年以上	50年以上	40～50年	15～40年	4年以下的临时建筑
防火等级	楼、地板、屋顶、墙体为钢筋混凝土	与一级相同,但所用材料耐火性极限较低	木结构屋顶钢筋混凝土楼板,砖墙	木屋顶,难燃烧的楼及墙体	

二、受淹工矿企业房屋分类

在水库淹没处理中,受淹工矿企业的房屋一般按用途和承重结构材质分类。在受淹工矿企业补偿评估时,若没有特殊情况(如分类太粗或分类错误),则房屋建筑物的分类应与淹没实物指标保持一致为宜。

(一)房屋按用途分类

房屋按使用用途不同,分为生产用房和生活用房。这是最基本的房屋分类。

(1)生产用房。指人们用于生产、经营的房屋,如车间、原材料及成品仓库、办公楼等。因为要满足工艺流程、设备安装的需要,不同生产用房对建筑层高、柱距、跨度、跨数等有相应不同的要求。

(2)生活用房。指供人们生活居住的房屋,生活用房因为要满足人们多方面的生活需要,其建筑类型、结构形式多种多样。如住宅、食堂、洗澡间、幼儿园等。

(二)房屋按承重结构构件材料分类

建筑物的结构基本决定了建筑物的使用性能、使用寿命,以及构建成本等建筑物评估中的重要参数。在上述生产用房、生活用房两大类下,又按承重构件及结构形式,将房屋结构分为钢结构、钢筋混凝土结构、砖混结构、砖木结构、木结构和简易房等。

(1)钢结构。指房屋的梁、柱、屋架等承重构件由钢材制作。如三峡库区丰都县航道处船厂的主厂房即为钢结构。但此种结构房屋在库区极为少见。

(2)钢筋混凝土结构。指房屋的梁、柱、楼板、屋面板均为钢筋混凝土材料。钢筋混凝土结构房屋又分为钢筋混凝土框架、排架等结构类型。

排架结构是以屋架(梁)和柱组成的排架结构承重体系。主要特点是排架在自身的平面内承载力和刚度都较大,而排架间的承载能力较弱。该结构多用于单层工业厂房。

框架结构是由梁、板、柱结点固结构成的空间承重体系。墙体不承重,只起分隔、保温和隔音作用。框架结构多用于标准工业厂房、办公楼等。

(3)砖混结构。主要为砖墙承重和混凝土板梁构造。砖混结构多用于住宅。

(4)砖木结构。主要为砖墙承重和木结构屋架结构。砖木结构多用于老式住宅,三峡库区许多老厂的机修、加工车间也多是此类结构。

(5)木结构。多为老式古民居。

(6)其他结构,如窑洞、土木结构房屋等。

第二节　房屋补偿评估特点

一、房、地分别评估

通常的房地产,在概念上可划分为土地和房屋建筑物。在资产评估业务中,根据不同的要求,有两种处理办法:一是将土地和房屋建筑物放在一起评估;二是将房屋建筑物与所占土地分开评估,即分别评估土地资产和房屋建筑物的价值。分别评估的目的是为了准确合理地评定土地价值和房屋建筑物价值,避免出现由于用地性质不合理,以及建筑物占地面积不合理造成土地价值估价失实和房屋建筑物造价失真情况出现。

在水库淹没处理中,由于受淹工矿企业房屋及所占用土地的补偿办法各不相同,因而在补偿投资评估中,房屋与其所占用土地的评估应分别进行。房屋补偿投资仅按房屋建筑物自身的重置成本计算,而土地补偿投资则根据该企业在淹没区的占地面积以征地成本计算,依企业是否随城(集)镇搬迁而处理办法不同。对随城(集)镇搬迁的工矿企业,因城镇规划时要统筹工矿企业迁建用地,故将工矿企业征地补偿投资计入城镇迁建补偿投资中统一考虑;对不随城(集)镇搬迁的工矿企业,其征地补偿则按该企业迁建所在乡(镇)农村旱地的平均补偿单价计算。

二、房屋补偿评估具有很强的政策性

在水库淹没处理中,受淹工矿企业的投资补偿,是按原规模、原标准恢复其原有功能进行的(简称“三原”)。对房屋等不可搬迁固定资产,要按重置价格进行补偿,即依据房屋的结构、用途、面积确定补偿值,不考虑折旧因素。即通俗所说的“淹旧房,还新房”。

由于评估的目的是补偿,补偿评估标准要依据建设成本确定,而不能采用市场交易价格。在评估受淹房屋时,只计算房屋建设本身的重置价格,不考虑影响房屋市场价值的区位、朝向、楼层、基地状况(主要指地形、地质、地理、环境)等相关因素。

三、据实评估

库区一般为山区,是贫穷落后的地区,房屋建造时,受特殊的地形、地质条件和资金投入限制,其建筑结构、建设标准,往往与国家有关技术规范不一致。在评估时,必须坚持据实评估的原则。下面对几种常见的问题做一分析。

(一)标准较低及不规则房屋构造问题

在库区,普遍存在房屋建筑结构比较简单、建设标准较低、施工质量不高等情况,若直接套用现行技术规范和定额标准进行投资补偿,可能存在高套现象。此外,房屋建设时以堡代墙、共墙等现象也比较普遍。对上述情况,应按“三原”补偿原则,据实进行评估。

(二)房屋的修缮改造问题

在库区常常遇到房屋建造后,历经多次修缮改造,房屋的用途、装饰发生了很大变化,且这些改变是房屋用途、功能所必需。遇到此类情况,则应在认真勘察工程量的基础上进行评估。

若房屋在原有基础上加高、加层,使同幢房屋存在多种结构,如一楼为框架结构，二至三楼为砖混结构，四楼为砖木或其他结构，则应按加高、加层后的实际结构、高度、层数评估。

（三）房屋超深基础问题

由于山区特殊的地形地质影响，受淹工矿企业房屋中一般存在超深基础。因超深基础的影响，库区房屋基础造价占房屋工程造价的比例变化幅度较大，高的甚至在30%以上。在三峡库区，一般将房屋基础处理费用占房屋工程造价比例超过8%的作为超深基础房屋处理。如果在评估时，不考虑房屋基础超深因素，则会损害受淹工矿企业的经济利益。

对房屋超深基础的评估，难以用一般情况下基础工程造价占房屋工程造价百分比的多少来推算，必须具体情况具体分析。对房屋基础工程与主体工程分别施工发包，设计、竣工资料比较齐全的，则可依设计、竣工资料据实评估；对设计、竣工资料不全或缺乏的，则可通过现场勘察，并参考同类地区类似房屋情况进行估算。在使用设计、竣工资料时，要注意与同时代、同类房屋造价进行比较，一方面要注意到一些工厂房屋是1958年“大跃进”年代修建、因“一平二调”因素影响造价特别低的问题；另一方面要剔除未形成房屋效用、因偶然因素不能形成客观造价而增加的费用。后一种现象，近几年在三峡库区比较突出。

在三峡库区受淹工矿企业迁建时，国家规定要对新址进行地质勘探，以避开不良地质条件的影响。在评估时，应考虑这一因素的影响。

第三节　房屋的清查与鉴定

一、清查鉴定的基本任务

评估人员对纳入评估范围内的房屋实物数量，进行“账实”清查核对;对房屋结构、各项技术指标及新旧程度进行鉴定,是房屋据实评估的基本要求,也是房屋评估的基础工作和重要环节之一。这项工作是在受淹工矿企业资产界定的基础上进行的。

现场清查鉴定的基本任务如下:

(1)核实房屋实物数量;

(2)核定房屋用途;

(3)核查房屋结构特征和配套设施;

(4)勘估房屋成新率。

二、房屋实物数量的核实

对房屋实物数量的核实,一是为了确认受淹工矿企业申报的房屋面积是否属实;二是为按评估要求对现场勘察重新分类后的房屋实物数量进行统计,从而为科学、合理地确定房屋补偿值提供基础资料。

房屋实物数量有不同的衡量尺度,常用的有建筑面积、使用面积、居住面积、辅助面积、结构面积等。在房屋补偿评估中,最重要的是房屋的建筑面积。

对房屋建筑面积计量,依据建设部颁发的《建筑面积计量规则》进行。

核实工作采取逐幢复核办法。对房屋要绘制平面示意图,对结构特殊的要拍下照片存档备案。

在房屋数量核实结果与企业申报、房产证的数量不一致时,在弄清原因后应妥善、据实处理。

三、房屋用途的核定

房屋因其使用目的的不同,其相应的结构、设施配套差异较大,对其补偿价值影响也较大。因此,房屋用途是确定房屋补偿价格的重要参数。

房屋用途核定的重点在于区分生产性用房和非生产性用房。在核查时,要认真查阅有关的设计资料和固定资产登记凭证。当设计用途和实际使用存在差异时,要弄清原因。如果房屋的原始用途已改变,并按新的用途将原始建筑的全部或大部改装,则应按改变后的用途归类。

对配电站、锅炉房等公共建筑,依其所在位置及服务对象不同而作不同的划分。当其位于厂区主要为生产服务时,列入生产用房类;当其位于宿舍区为生活服务时,则划入生活用房类。企业在街面上开办的经营性门面、招待所等商业用房,划入城集镇按商业用房补偿,不纳入工矿企业中补偿。

四、房屋结构特征和配套设施鉴定

(一)鉴定内容

对房屋的鉴定主要包括对房屋结构特征(基础、墙、柱、梁、屋架、支撑、屋面板)、建筑装修、附属设备等内容进行鉴定。

1. 房屋结构特征

(1)基础。包括基础的类型、尺寸,可以选择有代表性的墙体实测,也可按设计或竣工资料确定其结构类型、工程量,以及是否存在超深基础。

(2)墙、梁、柱。勘测墙体厚度、标高,柱和梁的形状及尺寸、用料等。

(3)楼地面。包括楼面、楼面板、楼梯、踢脚线,要特别注意楼面板的材料。

(4)屋面、屋架、楼顶。要弄清其构造、尺寸及施工工法。

2. 建筑装修

建筑装修分内装修和外装修。要了解装修的标准和程度,所用材料的品质以及装修质量。对一些有特殊要求的厂房(如恒温恒湿、空气净化、无菌消毒、防震等),要收集有关资料,做好勘察记录。

3. 附属设备

附属设备包括给排水、照明设备、卫生设备、消防设备等。要弄清其材料、规模、型号、数量等。

(二)鉴定方法

对房屋建筑物特征进行现场清查、鉴定时,通常采用的方法如下:

(1)查。查房产证、企业固定资产登记卡、设计图纸资料等。

(2)看。现场察看实际用途、建筑结构、建筑外形、基础、墙体、门窗、楼地面、屋顶、内外装修、电气、水卫等各部分情况。

(3)问。查勘中对实物、账目、结构等不清楚的问题,现场询问企业领导或知情人。

(4)量。按照有关技术规范丈量,核实规格、尺寸、数量。

(5)勘。对超深基础、隐蔽工程要采用必要的勘测方法与工具,弄清情况。

(6)绘。绘房屋建筑示意图,对特殊或重要建筑物应绘制标明各部分尺寸的平面图、立面图,并拍摄照片存档。

(7)记。认真做好现场查勘记录,填好《房屋现场查勘鉴定情况》表作为评估的基础资料之一。房屋现场查勘鉴定情况表见表6-6。

表6-6　　房屋现场查勘鉴定情况

企业名称:

序号	房屋名称	建造年月	建筑面积(m^2)	结构	外形	基础	墙体	层数	层高	跨度开间	梁柱	楼板楼地面	屋盖	门窗	外装修	其他(水、电、卫、暖)	成色

清查人:　　年　　月　　日

五、房屋新旧程度

一般根据房屋的完好程度、使用年限等将房屋划分为若干等级，分别计算房屋的成新率。计算方法一般有使用年限法和观察法。

（一）使用年限法

使用年限法，是将房屋的成新率建立在房屋的耐用年限、已使用年限或剩余使用年限基础上的方法。计算公式为：

$$\text{成新率}=\frac{\text{房屋耐用年限}-\text{房屋已使用年限}}{\text{房屋耐用年限}}\times 100\% \qquad (6-1)$$

式中　房屋耐用年限——指房屋的寿命，可参考《房地产估价规范》（GB/T50291—1999）确定；

房屋已使用年限——综合考虑房屋的实际使用年限，结合房屋的维护、保养情况确定。

（二）观察法

观察法又称打分法，是由具有专业知识和经验的工程技术人员对房屋实体各主要部位进行观察打分，判断被评估房屋新旧程度的方法。

在现场查勘时，按房屋的结构、装修、设备等三个部分再区分不同部位分别打分。将房屋划分为完好房、基本完好房、一般损坏房、严重损坏房和危房五个等级，采用加权平均法计算房屋的成新率。

房屋各部位新旧程度鉴定情况表见表6－7。

表 6-7 房屋各部位新旧程度鉴定情况

部位		结构	技术状况鉴定	成新率
结构	基础			
	墙体			
	房顶			
装修	门窗			
	装饰			
	地面			
设备	水电等配套			
	其他说明			
综合评分				

第四节　房屋补偿价格构成

一、影响房屋补偿价格的因素

按照补偿原则,房屋补偿价格按照原规模、原标准重新建造费用。影响房屋补偿价格的主要因素有房屋建筑工程费和装修及附属设备。

(一)房屋建筑工程费

房屋建筑工程费是指房屋的全部建筑安装工程所消耗的费用,一般由直接工程费、间接费、计划利润和税金等四部分组成。计算公式为:

房屋建筑造价 = 直接工程费 + 间接费 + 计划利润 + 税金　(6-2)

1. 直接工程费

直接工程费是指为建设房屋直接发生在工程建筑实体的费用总和,由直接费、其他直接费和现场经费构成。直接费包括人工费、材料费、施工机械使用费;其他直接费包括冬、雨季施工增加费,材料二次搬运费、检验试验费等;现场经费包括临时设施费和现场管理费。其计算公式为：

直接工程费＝定额直接费＋其他直接费＋现场经费　　(6－3)

值得注意的是，在计算直接工程费时，人工单价、材料单价、施工机械使用费和其他费率，均要按库区在评估基准日的价格水平和建筑取费标准计取。与水库淹没处理投资概算相一致。

2. 间接费

间接费是相对于直接费而言的。建筑施工企业在房屋建筑中除直接用于工程上的直接费用外，在施工组织管理时耗用的人力、物力和财力与工程有关，但又不是直接用于建筑产品上。间接费包括勘测设计费、监理费、建设单位管理费等财务费用，这些费用按建筑直接工程费的一定比例计算。其计算公式为：

间接费＝直接工程费×间接费率　　(6－4)

应注意的是，并非所有的间接费均要计取。由于水库淹没处理特点和被评估房屋标准的差异，间接费项目和费率也是不同的。如在三峡库区补偿评估时，房屋一般按施工集体三级企业取费，不计算财务费用等。

3. 计划利润和税费

在工程建设中，有一些与建筑工程直接相关，又不能简单地摊入到各单位工程的直接费用中，也不能列入工程间接费中的一些独立费用。如计划利润、税金等(包括营业税、城乡维护建设费、教育费附加等)。

计划利润、税金和有关费种，按当地规定的计费标准计取。

(二)装修及附属设备

装修及附属设备，包括房屋内外墙、门窗、装修及水、电、卫设施等。根据现场勘察情况，据实计算补偿。

二、房屋补偿评估价格构成中不包含的费用

三峡库区在确定受淹工矿企业房屋补偿费时，考虑到水库淹

没处理性质和国家有关政策,以及与城(集)镇迁建规划中基础设施补偿的划分规定相衔接,补偿价格构成不包含以下因素:

(1)随城(集)镇搬迁的受淹工矿企业,其土地补偿费统一列入城(集)镇迁建规划补偿投资中考虑;不随城(集)镇搬迁的受淹工矿企业,其土地补偿费可单独计列,按统一补偿标准计算。

(2)房屋迁建补偿投资是水库移民补偿经费,相当于企业自有资金,不是贷款,故不计建设期资金利息。

(3)房屋建设工程中城市规划管理费、基础设施配套费等,由于在水库淹没处理城镇迁建规划中已统一考虑,故在房屋补偿时,不再考虑这部分费用。

(4)勘察设计费。工矿企业迁建按有关规定需要进行地质勘察和设计工作,因此要发生一部分费用。这部分费用要按三峡工程水库淹没处理规定统一计列,不包括在房屋补偿费之中。

(5)建设单位管理费。按照水库淹没处理投资概算编制规定统一计列,也不包括在房屋补偿费之内。

(6)对淹没房屋中安装的电梯、空调、高档灯具等可搬迁附属设备,列入设备类评估,不列入房屋补偿投资中。

(7)对房屋内独立发挥作用的附属设施,如电话、天然气配套设施等,列入设施类单独补偿。电话装机、天然气装表等配套设施费用按电信部门、天然气公司规定的初装费计算补偿投资。

第五节 房屋建筑物重置成本测算

一、房屋重置成本概念

所谓房屋重置成本(或重置价格),是假设在评估基准期重新建造或购置全新状态的旧有房屋时所必需的合理成本。它包括两方面的含义:

(1)重置成本是在评估基准期时点的成本或价格。在水库淹没补偿评估中,此评估基准期并非总是“现在”,也可能是过去。如在三峡库区受淹工矿企业补偿投资评估时,计算房屋重置成本的价格基准期统一规定为1993年5月31日。不管评估工作是什么时候进行的,均按这个统一规定执行,即与三峡枢纽工程概算基准期相一致。

(2)所谓合理成本,是强调此成本不是指个别企业的实际耗费,而是指社会一般的公平耗费,即客观成本。如果被评房屋的建造费用超出了社会一般的平均成本,超出部分不仅不能形成价格,而且是一种浪费,这种浪费不能计入重置成本之内。

二、房屋重置成本的测算

房屋重置成本的测算主要有以下4种方法。

(一)标准参照物对比调整法

所谓标准参照物对比调整法,就是指在被评估区域,选择与被评估房屋用途和结构相同或相似的若干典型房屋(标准参照物)测算其重置成本,制作重置价格基准表,然后将被评房屋与标准参照物进行比较,找出价格差异因素并进行调整,以求取被评房屋重置成本的方法。这种方法适用于住宅、办公楼和标准厂房的评估。

1. 重置价格基准表

以三峡库区受淹工矿企业房屋补偿评估为例,为了制作房屋重置价格基准表,主要采取了以下办法:

(1)收集该地区近期竣工验收的典型房屋设计或竣工决算资料,通过分析,计算出该地区同类房屋的平均造价,确定被评房屋的价格水平。

(2)在三峡库区内,按住宅、办公楼、厂房等不同类别,选择近年来建造的与被评估房屋相同或类似的、具有典型特征的房屋20余幢作为参照物,收集有关的工程设计和竣工图纸,量测工程量,进行工料分析，采用评估基准期时建筑工程预算定额和取费标准，按照库区评估基准期建筑材料价格重新编制这些标准参照物的工程造价，测算了这些房屋的重置价格。

(3)与受淹城镇单位房屋补偿价格进行分析比较，分析差异，调整修正基价表。

通过上述工作，制作了重置价格基准表。如以框架结构为例，其基价见表6-8。

2. 修正系数

被评房屋与标准参照物一般都存在差异，这些差异表现在基础、层数、层高、跨度、内外装饰等很多方面，为此，需要制定修正系数。修正系数主要采用资产评估中常用的参数，结合库区淹没房屋典型测算确定。

3. 差异因素对比调整

在求取被评房屋重置价格时，将被评房屋与标准对照物进行比较，找出差异，经过修正后得出。被评房屋重置价格测算公式如下：

$$\text{被评房屋重置成本(重置价格)} = \text{标准参照物单价} \times (1 \pm \text{调整系数}) \times \text{被评房屋建筑面积} \qquad (6-5)$$

【例6-1】 某四层砖混结构住宅楼，建筑外形为L形，采用外走廊布置，层高3.1m，试采用标准参照物对比调整法确定其重置价格。

根据调查，标准参照物的特征为四层砖混住宅楼，建筑外形为长方形，内走廊布置，层高3m，该参照物在评估基准期的单位造价为312元/m^2。

通过比较，被评房屋与标准参照物调整因素及其调整系数如下：

(1)被评房屋结构与层数与参照物基本相同，调整系数为0。

(2)建筑外形调整。据分析，建筑外形调整系数：长方形为1.0，L形为1.07～1.13，取中间值为1.1。

表 6－8　　三峡库区受淹工矿企业房屋重置价格标准

结构类型：框架

单价	适用范围	构造						项目						备注
		外形	基础	墙体	层数	层高（m）	平面形式	梁柱	地面	楼面	屋面	门窗	内、外装修	
497 元/m²	轻工车间 办公室 宿舍住宅	长方形	条石带型 基础及钢 混凝土柱基	24 墙	五层	4	内廊	钢混凝土梁柱	混凝土	预制板	架空隔热层 刚性防水	木门钢窗	水泥 砂浆 抹面	
554 元/m²	中型车间 办公室	长方形	条石带型 基础及钢 混凝土柱基	24 墙	五层	4.6	内廊	钢混凝土梁柱 尺寸较大	混凝土	预制板 现浇板	架空隔热层 刚性防水	木门钢窗	水泥 砂浆 抹面	
593 元/m²	大型车间 办公室	长方形	条石带型 基础及钢 混凝土柱基	24 墙	五层	6	内廊	钢混凝土梁柱 尺寸大	混凝土	现浇板	架空隔热层 刚性防水	木门钢窗	水泥 砂浆 抹面	

注：1. 选取基准房屋计价标准时，首先以楼面、梁柱两项特征为基准，这两项特征相符时的房屋作为基准房屋；

2. 对于借墙等增减墙体情况，每增减 $1m^3$，墙体增减造价 159 元。

(3)建筑平面布置调整。据分析,建筑物平面布置调整系数内廊式为1.0,外廊式为1.07。

(4)层高调整。被评房屋比参照物高0.1m(3.1-3m),结构每增高0.1m,造价增加1.1%。

在测算时,可采取列表方式进行。被评房屋重置价格调整操作运算过程见表6-9。

表6-9　　房屋重置价格调整操作运算

序号	被评对象及其特征			参考物			被评对象单价调整因素及系数(%)						调整价(元/m²)	
	名称	用途	结构	用途	结构	基价(P_0)(元/m²)	η_1	η_2			合计 $\sum\eta$	计价(元/m²) $P=P_0+(1+\sum\eta)$	初调	复调

评估人:　　　　校核人:　　　　年　月　日

$$总调整系数=外形调整系数+平面形式调整系数+层高调整系数$$
$$=(1.1-1)+(1.07-1)+[(310-300)/10]\times0.011$$
$$=0.181$$

被评房屋的重置价格 $=312\times(1+0.181)=368.47$(元/m²)

在运用标准参照物对比调整法时,应注意以下几点:第一,被评房屋与参照物的用途或结构基本相同;第二,调整因素增减幅度不得超过±20%;第三,该法主要应用于住宅、办公楼和标准厂房的评估,对重要的、特殊的厂房一般不适用。

(二)工料测量法

工料测量法是先估算建筑物所需各种材料、设备的数量和人工时数,然后逐一乘以评估基准期时点各该同样材料、设备的单价和人工费标准,再将其汇总求和。工料测量法的优点是翔实,缺点是费时、费力,对特殊房屋必要时还需委托专家咨询。

【例6－2】 三峡库区某县某工矿企业框架结构厂房，经现场勘察，该厂房为三层，层高3.6m，面积100m²。基础为独立柱基，条形基础，内、外墙为砖墙，柱、梁均为现浇钢筋混凝土，楼板为S120预制空心板，木门窗，地面为1:2水泥砂浆抹面，屋面为三油二毡架空层屋面，内装修为混合粉刷增白水，外装修为混合砂浆粉刷。采用工料测量法评估该房屋重置价格为486元/m²。计算过程见表6－10。

（三）预决算调整法

预决算调整法，是以被评房屋建筑物竣工决算中的工程量为基础，按现行的建筑材料价格、费率，将其调整为按基准日价格计算的建筑工程造价，再加上间接成本及其他费用，估算出房屋建筑物重置价格。

使用该方法的优点是，对房屋建筑物工程量不需进行重新计算，节省了评估工作时间，但其适用前提条件是要有真实、完整的房屋建筑工程设计、竣工资料。如在三峡库区受淹房屋补偿评估时，对一些建设标准较高的特殊厂房采用了此种方法测算其重置价格。

（四）价格指数调整法

价格指数调整法，是以受淹工矿企业提供的被评房屋建筑物的账面原值，运用自购建期至评估基准期间的建筑业价格指数，或其他相关价格指数推算出房屋重置成本。

使用该方法的前提条件是，企业提供的待评房屋建筑物的账面原值必须真实可靠，同时，必须对一些超常的费用进行分析、鉴别，否则将导致评估结果失真。对于企业自建的不规则房屋建筑物可以采用此方法，但对于大型、价高的房屋建筑物一般不能运用此法。

表 6-10　　房屋重置成本计算过程

项目名称	单位	数量	单价（元）	金额（元）
钢筋	t	2.95	3 650	10 768
铁件	t	0.05	4 850	243
水泥	t	22.1	238	5 260
原木	m^3	3.0	513	1 539
锯材	m^3	3.2	868	2 778
红砖	千块	15.4	150	2 310
砂	t	61	39	2 379
石	t	30.1	30	903
其他材料				666
脚手架		100		221
机械费		27 066	3.7%	1 001
人工费	日	525	5.71	2 998
其他费		31 065	17%	5 281
综合费用		36 346	21.72%	7 894
小计				44 240
给排水	m^2	100	9	900
电器照明	m^2	100	11.5	1 150
不可预见费		46 290	5%	2 315
总计				48 605

注：1. 房屋重置成本采用工料测量法计算；

2. 房屋面积为 $100m^2$。

第六节 房屋补偿值的测算

一、房屋补偿评估步骤

房屋补偿评估按下面步骤进行：

(1)分类确定被评房屋实物量；

(2)估算被评房屋重置成本；

(3)确定被评房屋的使用年限和尚可使用年限；

(4)估算被评房屋的综合成新率；

(5)计算被评房屋的重置净值；

(6)核算被评房屋的补偿值。

二、房屋评估值的估算

房屋评估值即重置净值，是指房屋在评估基准时的重置价格，扣除各种贬值因素后的余额。它是房屋在评估基准期时点的真实价值，可以反映受淹工矿企业房屋淹没损失。

房屋评估值的计算公式为：

被评房屋评估值(重置净值)＝重置成本×综合成新率　　(6－6)

成新率的计算，常用观察法(打分法)和使用年限法。综合成新率一般是将按年限法计算的成新率，与打分法判定的房屋成新率进行对比，经分析调整后确定。

应当说明的是，在房屋补偿评估中，利用成新率计算出的房屋评估值(重置净值)，对受淹房屋的补偿结果并无影响。主要原因是目前国家对库区受淹工矿企业的补偿是在迁建的前提下进行的，具体来说，对房屋的补偿是按房屋的重置价格进行的，如果采用房屋评估值进行补偿，不仅企业难以完成复建，而且与补偿政策相悖。

三、房屋补偿值的确定

房屋属不可搬迁固定资产，根据国家对水库淹没处理政策和补偿原则，应按受淹房屋的重置成本(即复原重置成本)全额补偿。房屋补偿值的计算公式为：

$$房屋补偿值=重置成本 \tag{6-7}$$

第七章　受淹工矿企业设施补偿评估

工矿企业补偿中设施类的评估与房屋同属土木建筑，主要包括房屋以外的水塔、围墙等构筑物和各种生产设施。设施与房屋一样属不可移动的固定资产，因而在补偿原则、评估方法上与房屋在很大程度上是类同的。鉴于设施范围十分广泛而复杂，既有复杂的各类工业窑炉、烟囱，也有一般的围墙、梯道、水池、挡墙等构筑物，其价值、功能与形体结构特征差异较大，故在补偿评估中，专门作为一类固定资产进行评估。

第一节　受淹工矿企业设施分类

一、根据设施所在位置分类

工矿企业的设施包括给排水、道路、桥涵、供电、供气、广播通讯设施、公路、各类管道、港口码头、工业窑炉、井巷工程等。设施中很多项目与城镇和专业项目交叉，权属比较复杂。在水库淹没处理中，为避免与城镇市政工程和专业项目重复，以及在补偿中出现遗漏或重复，根据设施所处位置不同，将设施分为厂区内设施和厂区外设施。

厂区内设施属受淹工矿企业补偿的组成部分，要纳入评估范围。对于厂区外设施，是作为受淹工矿企业补偿，还是作为城(集)镇或列入专业项目补偿，则要根据实际情况判断和予以划分，做到不重不漏。

二、根据有无财务账目分类

根据企业财务账册上有无反映,分为账内设施和账外设施。企业设施数量多、种类多,建设方式和形成过程很复杂,加上有许多企业财务管理不规范,因此使一些设施未作为固定资产管理。为了真实地反映企业设施资产淹没损失,对账内设施要依据原始凭证加以核定;对于有实物而无财务账目的账外设施,主要依据现场勘察、分析判断后核定。因此,账外设施资产的评估难度和工作量比账内设施要大得多。

三、根据设施使用类型分类

根据设施使用类型,分为基础设施、生产专用设施和生活设施。

(一)基础设施

基础设施是指工矿企业生产、生活的基本条件。主要包括征地和场地平整、对外交通、供电线路、供排水管道、电信线路、港口码头等。

(二)生产专用设施

生产专用设施指企业根据生产要求而建造的辅助生产设施,如烟囱、大型设备基础、操作平台、工业窑、工业水池、矿井、酒窖等。

(三)生活设施

生活设施指企业为职工生产、生活环境配套而修建的设施。主要包括围墙、大门、生活水池、石梯步等建(构)筑物。

第二节　设施补偿评估特点

一、涉及面广,类别、数量繁多,衔接工作量大

企业设施包括供水管道、供电线路等基础设施和烟囱、工业窑、矿井、工业水池等专用设施,以及围墙、大门、晒场、梯道、厂内

道路等建(构)筑物,是企业生产和生活不可缺少的组成部分,其分布范围广,数量繁多。从工程类别划分,涉及到市政工程、建筑安装工程和各项专业设施。为了与这些专业部门的补偿相衔接,设施的补偿办法具有多样性。如征地和场地平整补偿,迁入新城镇规划区的工矿企业要与新城镇的统规、统建方式相一致,在城镇外单独迁建的工矿企业,则采用毗邻城镇迁建征地和场地平整费用标准补偿。

二、在形体、结构、材质等方面具有多样性

由于各种设施的形体、结构、材质等特征具有多样性,因此在对设施评估时,需逐一对其结构、材料、规格等进行具体测量、准确判定,并做好记录,以便于准确计算其重置成本,故设施补偿评估工作量较大。

三、设施中的隐蔽工程量很难精确核定

设施的挡土墙、桩、柱、管涵、排洪沟、矿井、设备基础等中,其基础部分属隐蔽工程,加之建造时间久远,设计、竣工等资料缺乏,增加了隐蔽部分工程量的量测难度,因而需要研究不同于其他类别设施的勘查方法。

四、有些特殊设施的补偿还要考虑其收益能力

部分特殊设施的补偿,仅考虑设施本身的建筑成本是不全面的,还应考虑其成本之外的价值。如制酒企业的酒窖,在补偿评估时,除考虑建造成本之外,还应考虑老酒窖与新酒窖产品质量差异的补偿。

第三节　设施的清查与鉴定

评估人员对设施的各项指标进行现场清查与鉴定，是设施评估的基础工作。

一、设施类别核查

在设施核查时，要以淹没实物指标调查成果为基础，对受淹工矿企业申报的设施进行清查，实地查勘设施所在位置，区分该设施是厂区内的还是厂区外的。

要特别注意厂区外设施的归属。对随城(集)镇搬迁的受淹工矿企业厂区外专项设施，尽管其原建设投资是由工矿企业投入的，但由于工矿企业迁建区的基础设施，如“三通一平”，或“五通一平”，都列入城镇迁建统一规划、统一建设，故对受淹工矿企业的该类厂区外设施，不纳入工矿企业补偿，不进行补偿评估。对于迁建新址在城镇外的受淹工矿企业厂区外受淹设施，则应纳入补偿评估范围。

二、设施特征鉴定

对纳入评估范围的设施要逐项、逐处地进行实地查勘、核实，鉴定其结构形式、规格、材料、数量和完损状况。以上各项指标是反映设施质量、造价的重要特征参数，将会直接影响到设施的评估价值，因此评估人员应认真进行查勘、测量和鉴定，并做好现场查勘记录。设施的现场查勘鉴定表如表 7－1。

对企业污水处理工程、给水工程、码头等设施价值量较大的设施(10 万元以上)，应收集竣工决算、设计图纸等资料，便于据实进行计算，确定其重置价值。

表 7－1　　　　　　　建筑设施现场查勘鉴定

企业名称：

序号	建筑设施名称	建造年月	结构特征	规格尺寸	基础	使用情况	备注

鉴定人：　　　　　　　　　　　　　　　　　　　年　　月　　日

三、设施成新率判断

设施成新率评定，主要按年限法和观察法，并根据查勘的实际情况作必要的修正。

（一）使用年限法

使用年限法主要根据国家规定的有关固定资产使用年限标准，通过清查鉴定，现场调查，弄清该设施修建时间，计算设施实际使用年限（从设施建成交付使用至评估基准期），估算设施的剩余使用年限，按前述房屋成新率计算公式计算设施成新率。

（二）观察法

观察法是设施类固定资产补偿评估中常用方法之一。对专用设施、账外设施及国家没有规定使用年限的设施，主要依靠评估人员的经验，通过现场查勘确定其新旧程度，并考虑管理、使用和保养状况等因素，进行综合评价，得出综合成新率。

第四节　设施补偿评估方法

一、设施补偿评估内容

设施项目的评估方法与房屋建筑补偿评估方法基本相同。主要任务和内容如下：

(1)核定设施实物量；

(2)计算设施的重置成本；

(3)计算设施的成新率；

(4)计算设施的评估价值；

(5)确定设施的补偿值。

二、设施补偿评估方法与步骤

(1)设施实物量的确定。设施实物量以淹没实物指标调查成果为基础，通过对受淹工矿企业申报的设施实物量核实后确定。对隐蔽工程应采用相应的工具和办法量测其工程数量，以保证实物量的可靠性。

(2)设施重置成本的计算。设施的重置价格，采用复原重置成本。设施重置单价构成和确定，可参见第六章第五节房屋类重置成本计算。重置成本计算公式如下：

$$\text{重置成本(重置价格)} = \text{重置单价} \times \text{实物量} \tag{7-1}$$

(3)设施成新率的确定。以年限法为基础，并依据现场查勘的实物状况进行综合调整确定。

(4)设施评估值的确定。按下述公式计算确定：

$$\text{评估值(重置净价)} = \text{重置成本} \times \text{成新率} \tag{7-2}$$

(5)设施补偿值的确定。设施属不可搬迁固定资产，其补偿值为设施的重置成本，不考虑折旧或损耗。补偿值按下面公式确定：

$$\text{设施补偿值} = \text{重置成本} \tag{7-3}$$

第五节　受淹码头的补偿评估

码头系江、河、湖、海沿岸的水工建筑物或构筑物，承担水陆物资和旅客运输的衔接，是交通运输中不可或缺的重要设施。鉴于码头属于设施中的一个特殊类别，与前述的房屋评估相比较，其补偿标准、评估办法既有共同点，又有较多差异。为全面、真实、客观、合理地反映受淹码头固定资产价值量及损失程度，经过几年的实践，我们总结了一套适合港口码头补偿评估的标准和方法。

一、码头分类

码头工程按所处水域性质，分为海港码头和内河码头两类；按用途，可分客运码头、货运码头、客货两用码头及专用码头等；按货物性质又分散货码头、杂件码头和集装箱码头等。按结构、吨级及前沿水深又可分为不同的类型和级别。

二、内河码头结构形式

受水库淹没影响的码头一般为内河码头。内河码头常见形式有桩基梁板码头、桩基框架码头、墩式栈桥码头、浆砌块石码头、浮码头、板桩码头等。

三、码头实物量及特征的核查

评估人员应在当地移民主管部门、交通管理部门及港航企业等有关人员的配合下，深入现场，通过看、量、查、询等方法，对码头、护坡工程及梯道、缆车道、栈桥、煤坪、道路、护坡、堡坎、货(堆)场、供电线路、各类管道、地牛、缆桩等实物的结构、性能、规格、型号、数量及使用状况逐一勘察鉴定。

清查码头时要注意以下问题：

(1)时间界限。由于大中型水利水电工程建设从设计、施工到建成投产，一般需要几年乃至十几年，水库淹没处理从调查到实际搬迁的时间也很长，因而确定受淹码头实物量，要按国家关于淹没区域内基本建设停建令的时间进行控制，停建令以后建设的码头不能纳入补偿评估范围。

(2)权属。码头陆域设施在使用中不断改建、扩建,使用权变化频繁。尤其是库区码头场地狭小,有些场地往往是几个部门、几个单位共同使用的,而且各自都投资进行过改建、扩建,特别是在计划经济时期建设的码头,往往存在权属不清的问题。评估人员在现场勘察工作中,要认真收集历史资料,充分听取主管部门和各单位意见,将有争议的码头分段列出进行评估。评估人员不进行产权归属的认定,产权归属由地方政府和有关部门确定。

四、码头补偿费用构成

码头补偿费用由以下四部分组成:

(1)码头本身的重置成本。其构成与房屋建筑物重置成本类似。

(2)码头相关设施的重置成本。主要由以下3类设施重置成本构成:①为了码头安全而修建的护坡、护岸工程,是内河码头的重要组成部分(防坡堤或护岸工程分为直立式、斜坡式);②供水管道、供电线路及码头与城区连接的交通设施;③配套性辅助工程。由于港口码头的地形特征和水文特性,以及长期陆域作业习惯形成的货场、堆场、临时堆栈以及港区道路等。

(3)设备补偿费。主要是港口码头内的机械设备的补偿投资,按可搬迁设备、不可搬迁设备分别计算。

(4)码头专用补偿费。

码头补偿费为上述4项费用之和,计算公式如下:

码头迁建补偿费 = 码头本身的重置成本 + 码头相关设施重置成本 + 设备补偿费 + 码头专用补偿费 (7-4)

五、码头迁建各项费用的测算

(一)码头及相关设施重置成本的测算

(1)计算各项设施重置成本。在现场勘查鉴定各项设施特征

及工程量的基础上,采取重置成本法计算。计算公式如下:

单项设施重置成本=该设施单位造价×设施数量(或工程量)　(7-5)

(2)确定补偿费。由于码头为不可搬迁固定资产,其补偿价值就是其复原重置成本,计算公式如下:

设施补偿值=各单项设施重置成本之和　(7-6)

(二)码头设备的补偿

码头设备包括装卸机械、起重机、缆车、泵船、供电系统、通讯、机修、暖通、供油、港区作业船以及通用设备等。通过鉴定,区分不可搬迁设备与可搬迁设备两类,分别确定其补偿值。

(1)不可搬迁设备补偿费。一般按评估基准期重新购置、安装该设备的重置成本,扣除可变现值后作为其补偿值。计算公式如下:

不可搬迁设备的补偿费=设备购置价格×损失费率　(7-7)

式中:

$$损失费率=\frac{重置成本-设备可变现价值}{重置成本}\times 100\%$$

(2)可搬迁设备补偿费。一般按设备所需的拆卸费、运输费、重新安装调试费计算补偿值。对在搬迁中有损失的设备,除计算上述费用外,还应考虑设备搬迁损失费。计算公式如下:

可搬迁设备补偿费=拆卸费+运输费+重新安装调试费+搬迁损失费

(7-8)

对水上趸船、跳船、划子、跳板、锚链、钢缆等设备,给予迁移费或部分损失费。对于趸船上的发电机组、管道阀门等设备因可随趸船迁移,故可不给补偿费。

(三)码头专项费用补偿

1. 码头专项补偿费

港口码头的补偿是以按原规模、原标准恢复原功能为前提。在补偿评估中,要根据专项设施建设的实际情况和使用状况,按各码头的结构、功能、现状分别计算码头基础建设补偿费、码头迁建过渡补偿费、码头功能配套补偿费、新码头建设难度补偿费及其他

补偿费等专项补偿费用。它们的和则为码头专项补偿费,计算公式如下:

码头专项补偿费=基础建设补偿费+迁建过渡补偿费+功能配套补偿费+建设难度补偿费+其他补偿费 (7-9)

码头专项费用包括:

(1)码头基础建设补偿费。码头基础建设包括削坡、清障、疏浚、防护、基础处理及码头范围内的衔接道路,分别按客货两用码头、客运码头、货运码头、煤码头、油码头、粮码头、木材码头、供水码头、汽渡码头等不同特征,分别计算其补偿费。

(2)码头迁建过渡期补偿费。码头迁建过渡期的补偿费包括临时性工程、过渡措施、停产期损失以及搬迁损失。计算补偿按客货两用码头、客运码头、货运码头、汽渡码头等不同类型的建设要求和营运状况,结合地形条件和过渡期长短不同计算其补偿费。

(3)码头功能配套补偿费。码头的配套设施是码头达到营运功能不可缺少的一部分。码头配套工程含供水、供电、通信、环保等项工程。补偿费按客货两用码头、客运码头、货运码头等的不同要求和其原有的配套项目与标准计算。

(4)码头建设难度补偿费。有的码头迁建新址的地形、地质条件特别差,建设中应根据基础处理的困难程度计算其补偿费。

(5)其他补偿费。码头建设中的其他费用以及不可预见因素的影响,按客货两用码头、客运码头、货运码头、煤码头等不同类别分别计算其补偿费。

2. 码头专项补偿评估注意事项

码头专项补偿费数额较大,而且因码头类别、建设标准和规模的不同差异很大。为了保证补偿评估成果的合理性,根据三峡库区受淹码头补偿评估实践,在码头专项补偿费的补偿评估时,应注意以下几点:

(1)对于按国家有关规范进行建设、功能完整、使用正常且有较好的社会效益和经济效益的码头，其基础建设费、迁建期过渡费、功能期配套费、其他费等费用均给予补偿。

(2)对于港口陆域设施基本完整，而水上设施不完备的码头，给予基础建设费、迁建过渡费、其他费用的补偿。

(3)对于只建有货(堆)场、挡土墙、煤坪等部分设施，功能不完整的码头，给予基础建设费、其他费用的补偿。

(4)对于地形较好的简易货(堆)场、少量建筑物的简易码头，按其原投资建设部分给予适当补偿。

(5)码头建设难度系数，根据各个码头迁建新址的地形、地质条件据实给予补偿。

第六节 受淹井巷工程的补偿评估

矿业企业在受淹工矿企业中占有较大比重。井巷工程是矿业企业的主要生产设施，其补偿问题尚处在探索之中。根据三峡库区和黄河小浪底库区受淹矿业补偿评估实践，井巷工程补偿评估具有明显不同于房屋补偿评估的特点，值得认真总结。

一、补偿评估对象及范围

纳入补偿范围内的井巷工程，主要为生产井巷，包括竖井、斜井、平硐平巷、回风大巷、井底车场、硐室、水仓等永久性设施。对于临时性巷道如支巷、回采性巷道、临时回风巷等不纳入补偿评估范围。

二、井巷工程的核查

井巷工程核查的关键是弄清井巷工程的实物量，其次是鉴定井巷工程建造结构特征。

(一)井巷工程实物量核实

井巷工程布置在地下，属隐蔽工程，固定资产实物量不易测量。加之淹没的井巷相当多没有正规的设计图纸,增加了评估核查工作量。而企业在申报井巷工程实物量时,虚报现象比较严重。因此,对井巷工程实物量的核查必须制定严密的方案,认真、细致的核查。

井巷工程是矿产资源开采的途径,它与矿产资源的储量、可开采量及埋藏分布密切相关,还与电力设施配置有关。因此,对于井巷工程的实物量,必须由有关专家,依照设计图、开采掘进平面图,通过详细了解矿产资源的地质构造、储量、矿井的开采方式、电力设施的安装使用方式、提升系统的配置情况,并参照产量日报表进行综合分析确定。在核查时,因矿业企业生产规模、管理规范情况不同,可分别采取以下方法:

(1)对于生产规模较大、管理比较规范的企业,由专业技术人员根据矿产资源的储量、矿藏埋藏及分布、开采程度、开采计划、井巷开拓、布置方式,依据设计图和开采掘进平面图量测工程量。

(2)对于生产规模、管理水平一般的企业,除依照设计图和开采掘进平面图量测外,还应随机抽查一部分井巷工程,根据抽查结果合理估算井巷工程实物量。

(3)对于生产规模较小,管理水平较差的企业,要依靠专家经验,根据矿井开采方式、电力设施安装使用方式、动力提升系统配置情况、日产量等估算井巷工程实物量。如在黄河小浪底库区核查井巷工程时,对于一些乡镇以下小煤窑,由于受生产技术水平、设备水平(如输电线是380V下井,非高压下井)的制约,一般井巷长度为2 000~2 500m。

(二)井巷工程结构特征鉴定

井巷工程结构特征包括井巷工程的截面规格、高度、长度、支护形式及材质,通过抽查方法确定。

三、井巷工程补偿费计算

井巷工程补偿费按重置价结合成新率确定。计算公式如下：

$$井巷工程补偿单价=(定额直接费+辅助费)\times(1+间接费率)\times物价上涨指数\times质量系数\times成新率 \quad (7-10)$$

式中 定额直接费——主要采用煤炭特殊凿井工程综合预算定额计算；

辅助费——采用煤炭井巷工程辅助费综合预算定额计算，一般规模较小的煤窑辅助费用按零计算；

间接费率——采用10%；

物价上涨指数——从1992年至评估基准期的价格指数。

下面就补偿单价计算中的有关参数加以说明。

1. 关于质量系数

煤矿及其他矿产的井巷工程质量系数，是指被评井巷工程建造质量与技术规范质量标准的差异。从三峡库区和黄河小浪底库区受淹矿业企业来看，一般为乡以下的集体、联营和个体企业，除一些规模较大的企业情况稍好外，绝大多数是因陋就简、生产技术水平极为落后，大多数是靠架子车运输，提升靠小压把绞车，通风靠电扇，井巷支护极为简单，井巷靠风钻打眼，火工爆破，巷道沿煤层开拓；安全性能差，达不到国家安全生产标准，基本上没有“三材”消耗。补偿评估标准必须根据井巷实际情况运用质量系数进行调整，如直接用国家矿业井巷工程生产定额指标，则标准过高，与实际情况不符。

如黄河小浪底库区，井巷工程质量系数主井为0.5，斜井、平硐平巷及总回风巷为0.7，井底车场及水仓为0.763。

2. 关于成新率问题

井巷工程有一定的服务期限，其使用年限与煤炭储量、可开采利用率密切相关。随着开采储量的下降，井巷工程使用年限将会相应降低，其利用价值将随之减小。因此，井巷工程补偿与房屋补偿不同，不能按重置成本进行，而必须考虑成新率。

井巷工程成新率计算公式有如下几种：

(1)设计储量法：

$$井巷成新率 = \frac{设计可开采量 - 累计开采量}{设计可开采量} \times 100\% \qquad (7-11)$$

(2)回采储量法：

$$井巷成新率 = \frac{实际可回采量 - 累计开采量}{实际可回采量} \times 100\% \qquad (7-12)$$

(3)开采年限法：

$$井巷成新率 = \frac{设计开采年限 - 已开采年限}{设计开采年限} \times 100\% \qquad (7-13)$$

采用质量系数和成新率对井巷工程补偿单价进行修正后，更加符合实际。如黄河小浪底库区，采用修正后的补偿单价比按定额计算的少 30%。如竖井(井筒粗料石砌壁，内径 3m，支护厚度 300mm，$f=6$)，按定额计算单价为 1 580 元/m，修正后的单价为 920 元/m。顺便指出，井巷工程仅是矿产企业(如煤矿、黄铁矿)固定资产的一部分。矿产企业还有一定的提升、开挖设备，也需对其进行评估补偿。但评估中应注意乡镇以下的小矿设备多是二手货或淘汰产品。

第七节　受淹酒窖设施的补偿评估

对于一些特殊的生产设施，如酒窖采用重置成本难以科学合理地计量其淹没损失，必须探索新的补偿标准与方法。

一、受淹酒窖特殊设施特点

酒窖设施补偿是受淹工矿企业补偿评估中遇到的新课题。尤其是年代久远的老窖，采用重置成本难以合理地补偿其损失，必须研究新的评估标准和方法。下面以三峡库区万州太白酒厂受淹窖池补偿为例，探讨这类具有盈利能力的特殊生产设施损失补偿问题。

三峡库区万州太白酒厂始建于1918年。该企业生产的“诗仙太白”系列产品，具有“窖香浓郁，醇和绵软，甘冽净爽，回味悠长”的独特风格。1959年被推荐为国庆10周年宴会用酒，1984年被商业部评为优质产品，1989年被评为国家优质酒。

该企业拥有83个窖池，是该企业特等调味酒、名优酒的生产基地。窖池最长窖龄74年，最短窖龄9年。在83个窖池中，窖龄在50年以上的12个，20~50年的22个，10~20年的28个，10年以下的21个。

采用通常的重置成本法评估，83个窖池补偿值为37.35万元。

二、窖池补偿标准及评估方法选择

由于被评估对象窖池，是一种特殊的生产浓香型白酒的关键设施，酒窖的窖龄和窖泥的质量对酿造浓香型白酒酒质影响很大。所谓的“千年窖、万年槽”，窖池愈老，窖池内的特殊厌气性细菌就愈多，其代谢产物积累就愈多，所产酒香味就愈浓郁，品质愈佳。而搬迁后重建的新窖与老窖生产的浓香型白酒在品质上存在差异，老窖能比新窖获得超额收益。因此，老窖的补偿不能按重置成本计算，而应按重建的新窖投产起至达到被淹窖池现有水平所需时间中，少产的优质酒与等级酒的价值差来计量老窖池的损失。

根据评估目的和评估对象特点，确定采取收益现值法。评估基准时点为1993年5月31日。

三、窖池补偿值计算

窖池补偿值计算公式如下：

$$补偿值 = \sum_{i=1}^{n} R_i (1+r)^i \qquad (7-14)$$

式中　R——每年损失的收益值；

i——酒窖恢复期平均年限；

r——折现率。

(一)损失年限计算

损失年限，亦即新建窖池恢复现有窖池品质所需要的时间。该企业83个窖池，窖龄最长为74年，最短窖龄9年，综合平均窖龄为27.5年。损失年限按现有窖池平均年龄计算。

(二)优质酒生产率

根据有关专家鉴定，40年以上窖龄的窖池优质酒生产率可达75%，而新窖年平均优质酒生产率为1.875%（75% ÷ 40）。通过计算，该企业现有窖池平均优质酒生产率为46%。但据调查，该企业最高年优质酒生产率为40.93%，按46%计算优质酒生产率明显偏高，经综合分析取40%比较适宜。特等酒生产量按优质酒生产量的4%计算。

(三)优质酒年产量

根据太白酒厂提供的资料，83个窖池共计窖容972甑，每甑投粮130kg，发酵期60天，每年6排，年平均出酒率按37%，则

60度酒年产量 = 972 × 130kg × 0.37 × 6 = 280(t)

优质酒年产量 = 280 × 40% = 112(t)

特等酒年产量 = 112 × 4% = 4.48(t)

(四)价差

根据调查，优质酒、特等酒与普通酒价差分别为0.638万元/t、4.24万元/t。

(五)折现率

取评估基准期时点的一年期国库券年利率14.5%作为折现率。

(六)补偿值计算

根据窖池补偿值计算公式，经评定该企业83个窖池补偿值为

542.58 万元，比按重建成本计算的补偿值高出 500 多万元。采用收益法较好地处理了太白酒厂受淹窖池搬迁损失的补偿问题，促进了该企业在搬迁中的进一步发展。

第八章　受淹工矿企业机器设备补偿评估

在工矿企业固定资产构成中,机器设备占有较大的比例。一般工矿企业小的也有几十、上百台设备,大的企业则有几百、上千台(套)各类设备,因而机器设备的补偿,是受淹工矿企业补偿中的重要组成部分。同时,不同种类的机器设备在搬迁过程中损失程度差异很大,是补偿评估中的难点,需要认真对待。

第一节　机器设备分类

机器设备是指利用力学原理组成的、能变换能量或产生有用功的独立或成套装置。机器设备的分类方法有多种,根据补偿评估目的要求,主要采用以下几种分类办法。

一、按固定资产分类标准分类

国家技术监督局在 1994 年 1 月 24 日颁发了《固定资产分类标准与代码》(GB/T14885—94),规定了我国现行机器设备分类国家标准,据此机器设备分类如下:①通用设备;②专用设备;③交通运输设备;④电气设备;⑤电子及通信设备;⑥仪器仪表、计量标准器具及衡器。该标准中对上述 6 类设备都列出了详细目录。

二、按现行会计制度规定分类

我国现行财会制度按固定资产的使用特性,将其分为 6 种类型,对机器设备而言有:①生产经营用机器设备;②非生产经营机器设备；③租出机器设备；④未使用机器设备；⑤不需用机器设备；⑥融资租入机器设备。

三、按机器设备来源分类

机器设备按来源划分，通常可分为自制设备和外购设备两种，外购设备中又有国内购置和国外引进设备之分。

四、按设备搬迁性质分类

从企业搬迁复建的角度看，设备按能否搬迁可分为以下3类：

(1)可搬迁的机器设备。指搬迁后能够继续使用，并能保持其原有生产性能的设备。如车床、柴油机、电动机等。

(2)不可搬迁的机器设备。指搬迁后本体破坏较大，不能保持原有生产性能的设备。如炼焦炉、反应塔、除尘塔等。

(3)运输工具。指用于长距离载人和物的机械，一般能自行行走，不需搬迁补偿，如轮船、汽车等。

第二节　机器设备补偿评估特点

机器设备是指由金属及其他材料制造，由若干零件装配而成，由一种或几种动力驱动，能够通过物理和化学变化，完成产品加工生产的装置。机器设备具有品种规格多、单体价值和技术含量高、使用年限长、可移动等方面的特点。机器设备的补偿评估有以下3个特点。

一、以技术检测为基础

由于机器设备具有较强的工程技术特点，在许多情况下它的技术状态仅根据统计和经验判断是不够的。例如，有些机器设备仅从外观上不能准确判断实际的技术状态和磨损状况。所以，必要的技术检测是机器设备评估的基础。对一些高精尖设备、特殊专用设备的补偿评估还要聘请有关专家参与。

二、以单台或成套设备为评估对象

机器设备单位价值高低悬殊较大，规格型号多。设备使用、维护保养情况不同，在搬迁中损失程度也不相同。为了保证机器设备淹没补偿评估工作质量，通常要逐台、逐套地对机器设备进行评估。对数量多、单位价值相对较低的同类机器设备也要逐台、逐套核实数量，选择合理的分类标准，按类进行评估。当然也不排除对机组或生产线等进行评估。

三、重点对机器设备搬迁损失性质和程度进行鉴定

机器设备的淹没补偿不同于房屋建筑物，不完全是按重置成本全额补偿，而是根据搬迁损失性质和程度分别确定。对可搬迁设备，主要考虑按拆卸搬迁过程中发生的拆卸费、搬迁运输费(指机器设备从原厂搬迁至新厂)、安装调试费和一定的搬迁损失计算淹没补偿；对不可搬迁的设备，一般按重新购置安装该设备的重置成本计算淹没补偿。对可搬不可用机器设备的淹没补偿，评估计算参见本章第五节的阐述。设备可搬迁和不可搬迁的鉴定，是机器设备补偿评估中的重点及核心，评估人员要熟练掌握机器设备的属性，逐台进行现场鉴定，收集相关资料，必要时要聘请专家参与分析、评估，从而作出客观、科学、公正的补偿结论。

第三节　机器设备的清查与鉴定

一、机器设备清查与鉴定内容

对机器设备进行清查和鉴定是评估工作的基础。对设备进行

清查鉴定,包括对设备数量的核实,以及设备的技术性能、使用情况、质量状况和磨损等方面的鉴定。设备的生产厂家、出厂日期、设备负荷和维修情况是鉴定时的基本依据。清查鉴定的内容包括以下几个方面。

(一)设备的实物盘点

主要是盘点企业申报的机器设备是否属实。核实内容包括机器设备的种类、数量,同时还要注意机器设备的名称、规格、型号、生产厂家、出厂日期与设备铭牌所标是否相符。对无铭牌的机器设备应向机器设备管理人员询问清楚,对主要的、关键的参数要有测定记录。对申报原值在 10 万元以上的设备,尤其是机组、成套设备、进口设备和非标准设备,通过查阅其设备购置合同、会计凭证、竣工决算资料,核定其账面价值。

(二)鉴定设备的使用情况

主要了解设备是在用状态还是闲置状态,使用中的设备运行参数、故障率等。对大中型、重点、价值量大的成套设备及国外进口专用设备,应详细了解以下内容:

(1)了解机器设备使用管理制度及保养、维修制度;

(2)检查机器设备的外观和运行环境,向使用人员了解设备损坏部位及损坏程度;

(3)掌握机器设备目前的技术性能和运用状况;

(4)了解机器设备的大修费用、大修时间、部位及大修次数;

(5)重点核实存放在厂区而未使用的机器设备、技术改造后被替换设备、停用两年以上的机器设备。

(三)设备技术状况的鉴定

主要是对设备满足生产工艺的程度、生产的精度和废品率以及各种消耗情况进行清查鉴定,以判断设备是否存在技术性过时和功能性落后的情况。

(四)设备磨损程度鉴定

主要是了解设备的物质性损耗,如锈蚀、损伤、精度下降、疲劳损伤等。

机器设备的清查、鉴定应有详细的清查鉴定记录。一般受淹工矿企业机器和重点设备查勘鉴定记录的内容与格式见表8-1、表8-2。

表8-1 受淹工矿企业资产申报、清查分类明细表——机器设备类

企业名称: 申报时间: 年 月 日 淹没线:

序号	申报内容										清查鉴定				备注
	设备名称	规格型号	制造厂家	购入年月	已使用年限	单位	数量	原值(元)	净值(元)	备注	编号	现场记录	技术状况	搬迁分类	
1															
2															
3															
4															
5															

填报人: 企业负责人: 清查人:

二、机器设备搬迁损失性质和程度的分析鉴定

对机器设备搬迁损失性质和程度的鉴定,要考虑以下几个方面的因素。

(一)从实物形态方面判断设备是否可以搬迁

一般而言,机器设备作为可移动固定资产,是指机器设备拆卸、搬运后,实体主要部分无损坏,易地安装后能够达到原有技术状态,并能正常发挥使用功能的机器设备。如发电设备、运输设备、金属切削机床、锻压设备、起重设备、电器设备、纺织设备等,一

表 8－2　　主要(重点)机器设备现场查勘鉴定情况

企业名称：

<table>
<tr><td rowspan="3">设备基本情况</td><td>设备名称</td><td></td><td>规格型号</td><td></td><td>出厂日期</td><td></td><td>购置日期</td><td></td></tr>
<tr><td rowspan="2">生产厂家</td><td rowspan="2"></td><td rowspan="2">启用时期</td><td rowspan="2"></td><td rowspan="2">已用年限</td><td rowspan="2"></td><td>账面原值</td><td></td></tr>
<tr><td>账面净值</td><td></td></tr>
<tr><td rowspan="8">查勘鉴定情况</td><td rowspan="2">设备类型</td><td>不可搬迁</td><td colspan="2">可搬迁不可用</td><td colspan="2">可搬(不需拆卸)</td><td colspan="2">可搬(需拆卸)</td></tr>
<tr><td></td><td colspan="2"></td><td colspan="2"></td><td colspan="2"></td></tr>
<tr><td>主要技术参数、功能</td><td></td><td colspan="2"></td><td colspan="2"></td><td colspan="2"></td></tr>
<tr><td>运行状况</td><td></td><td colspan="2"></td><td colspan="2"></td><td colspan="2"></td></tr>
<tr><td>外观及异常</td><td></td><td colspan="2"></td><td colspan="2"></td><td colspan="2"></td></tr>
<tr><td>其他</td><td></td><td colspan="2"></td><td colspan="2"></td><td colspan="2"></td></tr>
<tr><td rowspan="2">成新率(%)</td><td colspan="3">年限法</td><td colspan="2">现场勘估</td><td colspan="2">最终选定</td></tr>
<tr><td colspan="3"></td><td colspan="2"></td><td colspan="2"></td></tr>
<tr><td rowspan="3">评估测算系数</td><td>主要取价依据及取价值</td><td colspan="7"></td></tr>
<tr><td>价格调整因素及比例</td><td colspan="7"></td></tr>
<tr><td>补偿计算费率(%)</td><td colspan="7"></td></tr>
<tr><td rowspan="3">评估结果</td><td>重置全价</td><td colspan="7"></td></tr>
<tr><td>评估价值</td><td colspan="7"></td></tr>
<tr><td>补偿费</td><td colspan="7"></td></tr>
</table>

评估人：　　　　　　　　　　　　　　　　年　月　日

般都是可以搬迁的。

但是，有一些设备主体由建筑材料、耐火材料、耐碱材料和混凝土砌筑或浇筑建造的，拆除后将使该设备主体破坏，丧失原有使用功能，则应按不可搬迁处理。如各种化铁炉、锻工用炉、反应塔、各类砖窑等。

还有一类设备因其安装方式不同，影响对其搬迁损失性质的判断。如矿山升降机安装在坚固的混凝土基座上，升降机的框架被浆砌进基座，如拆卸搬迁损坏较大，难以复原，应按不可搬迁固定资产处理。如果同一升降机仅用螺栓固定于基座，或者安装在可移动的框架或支架上，应按可搬迁固定资产处理。

（二）从技术性能角度衡量设备的可搬性

主要是衡量机器设备经过拆卸、搬运、修复后，能否达到原有技术性能，满足生产对产量、质量以及安全上的需要。

(1)一些高精尖设备搬迁后可能难以复原。如卷烟厂的真空回潮机，由蒸汽喷射装置、水循环装置、真空装置、进出水装置等结构组成。如果拆卸，有可能损坏筒体的密封程度，使真空无法满足工艺要求，烟叶回透率和筒内温度达不到质量指标，则应将该设备按不可搬迁处理。

(2)由于受腐蚀等因素影响，设备搬迁后可能没有了利用价值。如化工、建材等行业的一些设备，由于原料本身对设备腐蚀影响较大，拆下来后放置一段时间，残留的化学物品会产生加速腐蚀作用，致使无法使用。对这类设备应按不可搬迁处理。

(3)一些对安全性要求较高的压力容器，搬迁后无法安装复原，或即使通过安装复原，但功能、性能已明显下降，不可能达到原来的技术状态，或使用不安全，安全检测部门不同意再使用的设备。如压力容器、蒸煮锅、发酵罐、变压器、机械除尘器等辅助设备。

（三）从迁建条件上衡量设备的可搬迁性

受山区运输条件限制，一些设备为现场制作安装，具有超长、超大的特点，若搬迁则必须切割分解，可能使其丧失原有使用功能。如在三峡库区受淹工矿企业补偿评估中，容器直径超过 3m、长度超过12m的油罐、气罐等搬迁比较困难，这类设备亦按不可搬迁处理。

（四）设备的强制淘汰更新问题

对这种特殊情况，处理时必须严格掌握政策，区别对待。对下面两种情况的设备，按可搬不可用处理。

（1）一些工矿企业因其原料、资源被淹没，被迫关停并转，其专用设备无别的用途，按可搬不可用处理。如一些以河砂为原料的砂砖厂，水库淹没了河砂，企业失去了原材料来源，除通用设备外，专用设备闲置。因而，专用设备应按可搬不可用处理。

（2）按照国家政策规定，一些耗能高和“三废”排放大大超标准的设备，在原址属限制使用，一旦搬迁必须强制更新。这类设备多数为老式配电柜、锅炉、电炉、化工设备。对这类设备搬迁损失也要适当考虑。

但是对于企业搬迁结合技改，在改造过程中淘汰的设备，以及因经营严重亏损、资不抵债的破产关闭企业的设备应按正常情况处理，不应按可搬不可用处理。

第四节　机器设备重置成本测算

一、机器设备的成本构成

机器设备的成本，指机器设备从购置、运输、安装调试直至正常使用所发生的一切费用。通常包括设备购置或制造费、运杂费、安装调试费、技术培训费、管理费、专用基础建造费和其他相关费用等。

（一）设备购置费

1．外购设备

（1）国内设备购置费，其价格可直接从市场查询或查询有关资料经调整后获得。

(2)进口设备的购置费比较复杂,其重置成本的确定见本章第六节的分析。

2. 自制设备

自制设备是指工矿企业为自身生产需要而自行设计、制作的设备。自制设备为非销售商品,其全部研制费用即为自制成本,不考虑利润、销售费用及营业税等成本因素。

(二)运杂费

运杂费是指购置了机器设备后,从其制造厂家或商家运到企业所发生的费用。运杂费包括包装费、装车费、运输费、卸车费及仓储保管费等。

应当注意的是,在厂家或商家销售产品时,运杂费用若部分或全部包含在售价中,则不应再计算运杂费。因此,评估人员应弄清购置成本所包含的费用内容,特别是对进口设备,必须查清设备价款是离岸价还是到岸价,从而决定需补偿运杂费的实际构成。

自制设备因系自制自用,不考虑运杂费。

(三)安装调试费

安装调试费是指设备进场后的安装、技术检测、调试时发生的费用。由于机器设备的性能及存在形式不同,所需安装、测试、调试费用差异很大,必须根据各类机器设备的具体情况而定。

(四)技术培训费

随着科学技术的进步,机器设备日益向高、精、尖方向发展,电气化、自动化水平越来越高,机器设备越来越精密。为了正确操作使用和维护保养该类机器设备,需要对操作、维护人员进行技术培训,发生的相应费用,应计入重置成本。

(五)专用基础建造费

一般机器设备不需专门建造基础。但有的机器设备很笨重,有的要求耐化学腐蚀,有的需防震、防潮等,这些类型的机器设备需要专用基础。在专用基础建造时发生的费用有时很大,需单独考虑。

(六)其他

在设备购置、装运、安装、调试、检查中所发生的上述费用以外的其他合理开支。

二、重置成本测算方法

重置成本是指按照评估基准日的价格水平,重新购入和取得全新状态,并与原机器设备具有同等功能的新设备所需的全部成本。重置成本测算方法主要有下述几种。

(一)重置核算法

重置核算法是分别按评估基准日价格估算机器设备各构成部分的成本,然后按权重汇总得到重置成本的方法。根据设备购建、形式不同,分别采取不同办法。

1. 外购设备的重置成本

外购设备的重置成本可按下面公式计算:

机器设备重置成本 = 全新设备现行市价 + 设备的运杂费 + 安装调试费 + 其他相关费 (8-1)

国产设备的市场价格,可从下列资料中查得:

(1)国家设备成套局信息中心编制的固定资产价格信息汇编;

(2)全国最新机电产品大全及增补卷;

(3)中国机电成套设备技术手册;

(4)机械产品目录;

(5)电工产品目录;

(6)清产核资价格重估目录。

设备的运杂费,按设备购置价的一定比例计算。在三峡库区受淹工矿企业补偿评估时,运杂费率根据距离远近参考有关部门推荐的数据选取,一般情况取3%~6%。

设备的安装调试费,按设备购置价的一定比例计算。表8-3给出了设备安装调试费率,供确定机器设备重置成本时参考。

表 8－3　　　　　　　　设备安装调试费率*

序号	设备名称	安装费率(%)(按设备价值计)
1	轻型通用设备	0.5～1
2	一般机械加工设备	0.5～2
3	大型机械加工设备	2～4
4	数控机械及精密加工设备	2～4.5
5	铸造设备	3～6
6	锻造、冲压设备	4～7
7	焊接设备	0.5～1.5
8	起重设备	5～8
9	工业窑炉及冶炼设备	10～20
10	电梯	10～25
11	供、配电设备	10～15
12	蒸汽及热水锅炉	30～45
13	化工设备	8～40
14	快装锅炉	6～12
15	热处理设备	1.5～4.5
16	压缩机	10～13
17	冷却塔	10～12
18	泵站内设备	8～12

*　资料来源：全国注册资产评估师考试辅导教材编写组，《资产评估》，2003 年。

表 8－3 中的设备安装费率包含设备的调试费用、基础费用、距设备 1.5m 内管路、设备至配电箱的电气线路等。

其他相关费按有关规定据实计算。

2. 自制非标准设备重置成本

自制非标准设备重置成本采用下面公式计算：

$$P=(C_{m1}\div K_{m}+C_{m2})\times(1+K_{p})\times(1+K_{t})\times(1+K_{d}\div n) \quad (8-2)$$

式中　P——非标准设备重置成本；

C_{m1}——主材费；

K_m——不含主要外购件费的成本主材费率；

C_{m2}——主要外购件费；

K_p——成本利润率；

K_t——销售税金率；

K_d——非标准设备设计费率；

n——非标准设备产量。

(二)生产能力比例法

某些设备虽是标准设备,但产品目录中却查不到,则可通过查阅型号相同、规格不同、生产能力不同的同类设备,按功能、功率、容量类比法确定设备价格。计算公式如下:

$$\frac{\text{被评估设备的单价}}{\text{参照设备的单价}}=\left(\frac{\text{被评估设备的(功率、功能、容量)}}{\text{参照设备的(功率、功能、容量)}}\right)^{x} \quad (8-3)$$

式中 x——规模效益指数,一般大型机组、生产线等的规模效益指数可以在相应的专业工程造价书中寻找,或向有关部门查询。

非标准设备一般不会出现在产品目录中。对此,可查找与该非标准设备类似的标准设备价,将该非标准设备同已知价格的参照设备类比分析,求得其设备的价格。

(三)物价指数法

物价指数法是在被评估机器设备账面原值基础上,通过现时价格指数确定重置成本。计算公式为:

$$\text{设备重置成本}=\text{设备账面原值}\times\frac{\text{评估基准日同类物价指数}}{\text{设备购建时同类物价指数}} \quad (8-4)$$

评估设备要满足下列条件方可采用物价指数法计算该设备重置成本:

(1)机器设备账面原值要真实可靠;

(2)价格指数应选择同类设备的价格指数。

对于进口设备，在运用物价指数法计算重置成本时有不同的技术要求，可参见本章第六节。

对国产设备，价格指数应该选择最接近被评估设备对象的个别变动率，或同类设备价格变动的指数。

第五节　机器设备补偿值计算

一、机器设备补偿评估值计算

机器设备的评估值是机器设备在评估基准日时的真实价值，是计算机器设备淹没补偿的重要参考依据。机器设备评估值或重置净价计算公式如下：

$$\text{设备重置净价} = \text{设备重置成本} \times \text{成新率} \quad (8-5)$$

式中，成新率是指根据设备技术性能、经济性能和物理性能确定的现有设备的新旧程度，亦即机器设备的现时状态与其全新状态的比率。机器设备的成新率，一般以实体性陈旧贬值程度作为估算的基础。实体性贬值是指机器设备因使用而产生磨损和自然损耗造成的贬值，一般通过观察法或比率法确定。在工矿企业淹没补偿评估中主要使用比率法。按照国家有关部门关于固定资产折旧年限的规定，依照下面公式确定：

$$\text{基准成新率} = 1 - (\text{已使用年限} \div \text{规定使用年限}) \quad (8-6)$$

在基准成新率的基础上，考虑功能性贬值和经济性贬值的因素。

功能性贬值主要由于技术进步使设备价值贬值。包括新技术引起的产品设计、材料及加工工艺的改进，从而使老设备的生产能力过剩、功能减少以及可变营运成本过高等，致使采用老设备制造产品成本增高或形成一部分超额运营成本。功能性贬值的计算以同类设备的技术指标为比较依据，运用收益现值法的思路确定。

经济性贬值是指因外部环境变化引起的机器设备贬值。包括因市场竞争加剧而开工不足，产品滞销、原材料价格上涨、企业收益下降，以及环境保护费用增加等，致使机器设备利用率下降，甚至闲置而引起的设备贬值。如当生产能力降低造成经济性贬值的估算公式如下：

$$经济性贬值=[1-(预计生产能力\div设计生产能力)]^{x}\times100\% \quad (8-7)$$

式中　x——规模经济效益指数。

在确定贬值时，应当充分考虑设备成新率的调查结果，相应地调整贬值数值，对大修和更换主要部件的设备要适当调整成新率，运用加权年限法确定。

在淹没补偿评估实务中，对投入使用时间在半年以内(包括刚安装完毕)的设备，其基准成新率一般为95%；已报废但仍在使用的设备，按设备的实际使用状态确定成新率；对报废设备以账面原值为基准，成新率按5%残值考虑，机械设备、电子仪器等没有回收价值的成新率按“0”处理；对超期服役或报废再利用的设备，其成新率按设备的实际运行状态确定。

二、机器设备补偿值测算

机器设备淹没补偿值是指对机器设备在搬迁中发生的费用和因搬迁造成损失的补偿。根据现场对设备搬迁损失性质和程度的鉴定，将设备分为可搬迁设备、不可搬迁设备、可搬不可用设备、运输工具4类，分别进行测算。

(一)可搬迁设备补偿费

可搬迁机器设备的补偿费，一般由拆卸费、搬迁运输费、安装调试费和因搬迁造成的损失费4部分构成。计算公式如下：

$$\begin{aligned}机器设备搬迁补偿费=&设备购置价格\times(拆卸费率+搬迁运输费率\\&+安装调试费率)+搬迁损失费\end{aligned} \quad (8-8)$$

或

$$机器设备搬迁补偿费 = 设备购置价格 \times (拆卸费率 + 搬迁运输费率 + 安装调试费率 + 搬迁损失费率) \quad (8-9)$$

安装调试费、搬迁运输费以机器设备购置价的一定比例估算。三峡库区工矿企业设备的运杂费率参考了有关部门推荐数据,经测算后确定一般按3%~6%取值。安装调试费率参考有关部门的规定或经验指标确定。

经测算确定拆卸费率一般按安装调试费率的1/2~2/3估算。

机器设备的搬迁损失费主要是设备基础超深、超大,设备腐蚀性损失,管道切割以及阀门、仪器、仪表、线路等配件更换所发生的费用。

(二)不可搬迁设备补偿费

对于机器设备因为其实体形态、生产性能、搬迁条件等原因造成的不可搬迁,按设备重置成本计算补偿。计算公式如下:

$$不可搬迁设备补偿值 = 设备的重置成本 \quad (8-10)$$

(三)可搬不可用设备补偿费

可搬不可用机器设备补偿按两种情况分别计算确定。

(1)因水库淹没造成企业原料、资源损失难以复建,其专用设备按重置成本补偿,其通用设备按重置成本与可变现价值之差补偿。

专用设备补偿值计算公式:

$$专用设备补偿值 = 设备的重置成本 \quad (8-11)$$

通用设备补偿值计算公式如下:

$$通用设备补偿值 = 设备重置成本 - 设备可变现价格 \times 变现风险系数 - 变现费用 \times (拆卸费用 + 销售费用) \quad (8-12)$$

如三峡库区香溪河矿务局因煤炭采掘在受淹后难以复建,其煤矿专用变压器等设备按重置成本全额补偿,其矿车则按设备重置成本与可变现价之差的余额补偿。

(2)对于不符合国家产业政策、搬迁时需强制更新的可搬迁设备,按重置成本结合成新率计算补偿。补偿值计算公式如下:

$$设备补偿值 = 设备重置成本 \times 成新率 \quad (8-13)$$

(四)运输工具

对于运输工具,由于其可以自行行走,不给予补偿。

第六节　进口机器设备补偿评估

进口机器设备的购置与国内设备的购置有很大的不同,为此,我们将国外引进设备列为补偿评估中的一个专项进行分析。

一、进口机器设备重置成本测算

进口机器设备补偿评估,如同国产设备补偿评估一样,主要采用重置成本法。但重置成本的确定,比国产设备复杂。

(一)进口设备原价构成及计算

进口设备的原价是指进口设备的抵岸价,即抵达我国边境港口或边境车站,而且交完关税等税费后形成的价格。进口设备原价的构成与交货方式有关。

1.进口设备的交货方式

进口设备的交货方式可以分为内陆交货类、目的地交货类、装运港交货类。

(1)内陆交货类。为卖方在出口国内陆的某一地点交货。在交货地点,卖方及时提交合同规定的货物和有关凭证,并负担交货前的一切费用和风险。买方按时接受货物,交付货款,负担接货后的一切费用和风险,并自行办理出口手续和装运出口。货物的所有权也随货、款两清之后,由卖方转移给买方。

(2)目的地交货类。即卖方在进口国的港口或内地交货。具体又分目的港船上交货价、目的港船边交货价(FOS)和目的港码头交货价及完税后交货价等几种。特点是只有卖方在交货点将货物置予买方控制之后才能算交货,才能向买方收取货款。

(3)装运港船上交货价。是卖方在出口国装运港交货,主要有装运港船上交货价,习惯称离岸价格(FOB)和离岸价格(FOB)加上境外途中保险费、境外运杂费则为到岸价格(CIF)。装运港船上交货价的特点是,卖方按照约定时间在装运港交货,只要卖方按合同规定把货物装船后,提供货单,便完成交货任务,可凭单收款。

内陆交货方式对买方风险大,目的地交换方式对卖方风险大。我国进口设备多采用装运港船上交货价(FOB)。这种交货方式是,卖方在规定期限内,负责在合同规定的装运港口,将货物装上买方指定的船只,并及时通告买方。由卖方负担货物装船前的一切费用和风险,办理出口手续,提供出口国政府或有关方面的证件,提供装运货单。买方的责任是负责租船或订舱及支付运费和货物装船后的一切费用,并承担相应风险。

2. 进口设备原价构成

进口设备原价构成可以概括为以下 10 项:即货价(FOB)、国际运费、运输保险费、银行财务费、外贸手续费、关税、增值税、消费税、海关监管手续费、车辆购置附加费。各项费额按如下公式计算:

$$\text{货价}=\text{设备的原币离岸价(FOB)} \tag{8-14}$$

$$\text{国际运费}=\text{原币货价(FOB)}\times\text{运费率} \tag{8-15}$$

$$\text{运输保险费}=\frac{\text{原币货价(FOB)}+\text{国际运费}}{1-\text{保险费率}}\times\text{保险费率} \tag{8-16}$$

$$\text{到岸价(CIF)}=(\text{货价}+\text{国际运费}+\text{运输保险费})\times\text{原币兑人民币汇率} \tag{8-17}$$

$$\text{银行财务费}=\text{人民币货价(FOB)}\times\text{银行财务费率} \tag{8-18}$$

$$\text{外贸手续费}=\text{到岸价(CIF)}\times\text{外贸手续费率} \tag{8-19}$$

$$\text{关税}=\text{到岸价(CIF)}\times\text{进口关税税率} \tag{8-20}$$

$$\text{增值税}=(\text{关税完税价格}+\text{关税}+\text{消费税})\times\text{增值税率} \tag{8-21}$$

$$海关监管手续费 = 到岸价 \times 海关监管手续费率 \tag{8-22}$$

$$应缴消费税额 = \frac{到岸价 + 关税}{1 - 消费税税率} \times 消费税税率 \tag{8-23}$$

$$车辆购置附加费 = (到岸价 + 关税 + 消费税 + 增值税) \times 进口车辆购置附加费率 \tag{8-24}$$

关税(进口关税)分优惠和普通两种。优惠税率适用于与我国签定有关税互惠条约或协定国家的进口设备;普通进口关税税率适用于未与我国签定关税互惠条约或协定的国家。

(二)进口设备重置成本构成

进口设备的重置成本由3部分构成。计算公式如下:

$$进口设备重置成本 = 原价 + 国内运杂费 + 安装调试费 \tag{8-25}$$

式中 国内运杂费——运输与装卸费、包装费、设备供销手续费、采购费、仓库保管费等在内的费用。设备运杂费计算公式如下:

$$设备运杂费 = 设备原价 \times 运杂费率$$

若有技术培训费、专用基础制作费、管理费及其他有关的合理费用,经核定后,一并计入重置成本中。

(三)重置成本测算方法

进口机器设备重置成本估测一般有以下几种方法。

1. 重置核算法

对可查询到现行离岸价(FOB)或到岸价(CIF)的机器设备,按以下公式计算:

$$重置成本 = 设备原价 + 国内运杂费 + 安装调试费 \tag{8-26}$$

或

$$重置成本 = 设备原币货价(FOB) + 国际运费 + 运输保险费 + 银行财务费 + 外贸手续费 + 进口关税 + 增值税 + 消费税 + 海关监管手续费 + 车辆购置附加费 \tag{8-27}$$

应该注意的是,根据水库淹没补偿的性质与要求,在进口设备原币价换算成人民币时,应当采用评估基准日的汇率。

2. 功能价值法

对无法查寻到设备现行原币价格(FOB)或到岸价格(CIF)的进口设备,若可取得国外替代产品现行 FOB 或 CIF 价格的,可采用功能价值法或比较法,来估测被评估机器设备的重置成本。

若没有其国外替代产品现行 FOB 或 CIF 价格的,也可利用国内替代设备的现行市价或重置成本,推算被评估进口机器设备的重置成本。

3. 物价指数调整法

用物价指数调整法估测进口机器设备重置成本的计算公式如下:

$$\text{设备重置成本} = \text{原始 CIF 价格} \times (1 + \text{国外设备价格年增长率} \times n) \times \text{基准日汇率} + \text{国内费用} \times \text{物价指数} \quad (8-28)$$

式中 原始 CIF 价格——从原始结算清单或合同中查得的设备进口日的外币到岸价;

国外设备价格年增长率——设备生产国的物价变动情况,评估时应视设备种类、进口国别及进口的时间等有关资料,进行适当的调整;

n——年份差,是机器设备评估基准日年份与进口日年份之差;

基准日汇率——国家外汇管理局在评估基准日当天公布的人民币外汇牌价;

国内费用——机器设备进口时的国内费用总和,通常用原始价值减去按原始汇率折合为人民币表示的原始 CIF 到岸价;

物价指数——设备评估基准年比进口年的价格上涨率。这个物价指数应参照财政部清产核资领导小组办公室编制的《价值重估统一标准目录》中设备分类指数，以及委托评估单位所在地物价指数综合确定。

用指数调整法评估进口设备的重置成本有如下限制：

(1)对于那些技术已经更新的进口设备不宜采用指数调整法，因为一旦技术更新，旧型号机器设备很快被淘汰，其价格会大幅度下降。只有那些技术更新周期长、该型号设备仍在国外大量使用，在技术上未被淘汰的机器设备采用指数调整法计算重置成本。

(2)运用指数调整法调整计算进口机器设备重置成本时，其中原来用外币支付的部分(即原来的 CIF 价格)，应采用设备生产国的物价变动指数来调整，而不是采用国内价格变动指数来调整，但对原来的国内费用(即进口关税、增值税、银行手续费、运杂费、安装调试费等)要按国内的物价变动指数来调整。

二、进口设备的重置净值

对进口设备的重置净值，采用下面公式计算：

$$\text{进口设备重置净值} = \text{进口设备重置成本} \times \text{成新率} \quad (8-29)$$

三、进口设备的补偿值

进口设备的淹没补偿与国产设备一样，也是在判断设备搬迁损失程度的基础上，分可搬迁设备、不可搬迁设备、可搬迁不可用设备分别计算。但在计算时，考虑到进口设备技术性能要求高，拆卸、安装调试难度大的特点，可适当提高相应费率。

第九章 受淹工矿企业流动资产补偿评估

流动资产是指在一年或超过一年的一个营业周期内变现,或者耗用的资产。流动资产是企业组织正常生产经营活动的前提条件,是企业不可或缺的重要资产。

在受淹工矿企业补偿中,流动资产的补偿是其中一个重要的组成部分。由于流动资产的存在形态、周转方式、价值转移等特点,明显地区别于固定资产,因此流动资产的补偿评估,在评估范围、评估方法方面和固定资产评估有所不同。

第一节 流动资产的分类及特点

一、流动资产的分类

流动资产可以根据其存在形态、周转方式等特征分为以下 4 大类。

(一)货币性质的资金

货币资金是流动性最强的流动资产,它可以立刻投入流通,可以随时用其购置所需物资、支付各种费用、偿还债务等。货币资金包括库存现金、各种银行存款以及其他形式的货币资金。

(二)债权性质的流动资产

债权性质的流动资产包括应收账款及预付账款、有价证券、应收票据及其他应收款项。

应收账款是指企业因销售商品、提供劳务、出租设备等业务,应向购货方、租赁方收取的价款。

预付账款指企业按购货合同,或接受劳务供应合同而预支给供应单位的款项。

有价证券主要是指企业持有的能随时到证券交易所销售,并换取现金的债券和股票。

应收票据是一种持票人可自由转让的书面支付凭证或信用凭证,是一种无条件支付货币的流动证券。应收票据主要指企业因交易而收到的商业汇票,包括商业承兑汇票和银行承兑汇票。

其他应收款指前述应收款、应收票据以外的应收、暂付款项,主要包括备用金和各种赔款。

(三)待摊费用

待摊费用是支付已经发生过的,应由本营业周期和以后各营业周期分别负担,分摊期在一年以内的各项费用。它是一定形式的实物资产消耗和享受某种服务的费用支出,是已消耗资产的反映。

企业营运中待摊费用很多,例如低值易耗品开支、预付保险金、应由销售产品分摊的中间产品税金、应分期摊销的大额税款等。

待摊费用没有物资实体而有账面价值。

(四)实物性质的存货

存货是指在盘存期内,权属属于企业的一切为了制造、销售、耗用而购进的商品、材料和自制品等实物性物资的总称,也就是企业在供、产、销各环节上,无论其存放地点是什么地方的全部流动性实物资产。存货包括库存的、加工中的、耗用中的和在运输途中的各种原材料、燃料、包装物品、低值易耗品、在制品、外购商品、自制半成品、产品以及发出商品等。

二、流动资产的特点

根据以上对流动资产的范围、类别的叙述,可以看出流动资产

具有以下特点:

(1)项目多、形态多。企业流动资产的种类、项目繁多,存在形态有实物、货币、账款、证券与票据等多种形态。

(2)高度的流动性。在企业生产营运正常的情况下,流动资产是不会或不会长久地保持在一种形态上,而是随再生产的过程不断改变形态,虽然各类流动资产在实现价值的转变中仍有快慢之分,但总的说转变是比较迅速的。

(3)各种形态并存性。企业的流动资产同时存在于资产价值转移、循环几个阶段,表现为不同的占有形态。即使在同一时点,企业的供应、生产、销售三个阶段都分别存在原材料物资、在制品、产成品以及货币形态的资产。

(4)波动性。企业的流动资产随产、供、销过程的发展,其数量是会起伏或消涨的,大小多少是会变化的。

(5)不存在折旧问题。一般流动资产不存在折旧问题。如货币是资产的等价物,不存在折旧问题;存款、账款、证券、票据也都是以货币表示的资产,也不存在折旧问题。但流动资产虽然不存在折旧问题,并不等于不存在风险。例如应收票据、预付款项都有可能成为"坏账或残账"。

实物形态的流动资产中,部分资产在储存、保管过程中会由于自然氧化、老化等情况,产生有形或无形损耗而贬值。

实物形态的流动资产,在搬迁过程中有可能产生损失,是值得注意的问题。

第二节　流动资产补偿评估范围及对象

一、流动资产补偿评估范围

根据流动资产的性质和水库淹没处理的政策与原则,在受淹工矿企业中,给予补偿的流动资产仅限于存货类流动资产。即仅限于存放在淹没线下的该企业所有的各种产成品、在产品、半成品以及各类原材料、燃料、包装物、低值易耗品等有形流动资产。可分为如下3类:

(1)原材料、燃料、库存商品;

(2)在制品、自制半成品、产成品;

(3)包装物、低值易耗品。

二、具体对象

(一)原材料、燃料

原材料、燃料是生产资料,处在企业生产经营的储备资金占用阶段,基本保存购进时的资产形态,在生产经营中对产品发挥着不同的作用。原材料、燃料品种多,实物形态不同,金额大,性质各异,在计量手段和方式、质量鉴定等方面各有特点。

(二)在制品

企业的在制品是原材料投入后,没有完成全部过程,不能作为商品销售的产品。包括各生产阶段正在加工或装配的产品,以及已经完成一道或几道生产工序,还未完成整个生产过程,等待继续加工或装配的库存半成品。

在制品评估,一是清查核实在制品的数量;二是正确评估在制品的完工程度。其中,外购半成品视同材料评估,对外销售的半成品,视同产成品评估。

(三)产成品

产成品是指已经完成全部生产并验收入库,可以按照合同规定条件送交订货单位,或者作为商品对外出售的产品。它包括企业正常生产的产品、试制成功可以对外销售的新产品、准备销售的自制半成品、接受外来材料加工制造的代制品和为外单位加工修理的代修品等。

(四)低值易耗品和包装物

低值易耗品是指单位价值在规定限额以下,或使用年限在一年以内的劳动资料。低值易耗品按用途一般可分为6类:①一般工具;②专用工具;③替换设备;④管理类用具;⑤劳动保护用品;⑥其他。

包装物本属于辅助材料,但由于它在使用和核算上的特殊性,可单独列为评估对象。

按会计制度规定,包装物是为包装本企业产品而储备的各种包装容器,如桶、箱、瓶、坛、袋等。评估中所指的包装物是专门为本企业产品包装,并随商品出售而出租、出售、出借的各种包装容器。

第三节　实物形态流动资产搬迁补偿

一、补偿标准

具有实物形态的各种存货类流动资产,通常都是可移动资产,因此,其搬迁补偿的并非这些存货自身的价值,而是补偿其搬迁费用。

实物形态流动资产的搬迁费用,既可按实物性流动资产种类、数量、质量、体积,考虑搬迁运输距离长短,分别计算;也可按核定的账面价值,乘以一定的搬迁费率而求得。由于流动资产实物形态差异较大,而该项补偿费用较少,按各类实物形态计算运输费用,评估工作量较大。因而在实际操作时,主要采用后者。计算公式如下:

$$实物形态流动资产搬迁补偿费 = 核定账面价值 \times 搬迁运输费率 \quad (9-1)$$

式中　搬迁运输费率——根据需搬迁实物的重量、单件实物的重量和体积、耐压耐损程度、运输方式和难度以及单位价值等，经测算后确定为3%~5%。

二、评估方法

评估方法主要有：

(1)现场清查、核实实物的种类和特征，核实账面原值，核定存放位置，做到账实一致。实物形态流动资产数量和价值，一般以评估基准期企业财务报表数为准。

(2)对于受淹工矿企业原材料和燃料要分品种和来源，核实数量，防止重计或遗漏，确保账实相符。应考虑运输方式和运输距离及实物特性，给予搬迁费。

(3)对于包装物、备品备件、低值易耗品也要分门别类，核实数量，核实账面成本，考虑其搬迁运输距离、运输物件的难易程度，给予搬迁费。

(4)对于自制半成品、产成品，在确定库存数额和账面价值后，给予搬迁费。

清查完成后，要认真填写流动资产现场清查鉴定表。清查鉴定表见表9-1。

三、关于实物形态流动资产搬迁损失的补偿

实物形态流动资产在搬迁过程中可能会发生损失，在大多数情况下，这种损失比较小，可以通过适当提高搬迁运输费率实现补偿。但也有少数企业，这种损失比较大。如万州外贸肠衣厂的肠衣制品，在搬迁期间发生腐烂变质，损失较大。对这些特殊情况，损失物品价值也应计入搬迁损失费。经有关专家测定，通过讨论，

决定按20%计算损失。

表9-1　　　　流动资产现场清查鉴定

资产名称	计量单位	实物特性	账面原值	核实价值	评估搬迁系数	搬迁补偿值	备注
1. 储备资产小计							
原材料							
燃料							
包装物							
低值易耗品							
2. 生产资料小计							
产成品及自制半成品							
流动资产合计							

第十章　受淹工矿企业停产损失补偿评估

对受淹工矿企业补偿评估，是在假定企业迁建条件下进行的。企业迁建既有房屋、设施建设，也有机器设备搬迁、安装，因而不可避免地要停产。这种停产与企业通常的停产不同，不是企业自身营运的原因，而是因水库淹没引起的，因此，需要对停产期内的损失给予合理补偿。但是在水库淹没处理的DL/T5064—1996《规范》中，虽然提出了应对停产损失进行"补贴"，但对"补贴"的内容、标准均没有具体规定或说明，不具有可操作性。

停产损失补偿涉及到国家、地方和企业职工三方面的利益关系，实践中遇到的问题较多，分歧也较大，是补偿评估中的难题。

第一节　停产损失的特点

一、停产损失的概念

工矿企业搬迁一般要经过前期工作、土建施工、设备安装（包括拆卸、运输、安装、调试等）、试生产、竣工验收等阶段。在前期工作中，土建施工阶段一般不会发生停产。在设备搬迁阶段也不是所有设备搬迁均会导致企业停产。如企业一般不会因机修车间设备搬迁发生停产，而只有那些关键的、控制性的主要设备搬迁才会发生全厂停产。因而一般把控制性的主要设备的拆卸、运输、安装、调试的时间叫停产期。由于停产期内企业不能生产而没有产出，但仍需支付员工的工资，仍要发生管理费用。因而在补偿评估中,将搬迁停产期内企业减少的经营收入和正常发生的费用称之为停产损失。

二、停产损失的特点

(一)非自身营运原因引起的被动性停产

受淹工矿企业的搬迁停产,与企业因生产经营严重亏损或设备大修等原因出现的停产性质不同。企业生产经营中出现的停产是市场经济中普遍存在的现象,是企业本身的营运行为。而受淹工矿企业的搬迁停产则是因受水库淹没搬迁导致的停产,是非自身原因引起的被动停产,应给予合理补偿。

(二)主要补助直接损失

停产损失既有直接损失,又可能有间接损失。间接损失,如在企业停产时有可能因停产时间过长,造成产品市场丢失等之类的损失。在对三峡水库受淹工矿企业停产损失计量时,一般对停产损失进行补偿是以直接损失为主。这主要是考虑到:一是国家对工矿企业搬迁给予了许多优惠政策,如迁建采取先建后迁方式,总体上对增强企业市场竞争能力是有利的;二是间接损失不仅不易计量,而且又不易判断、确认等;三是实际上这类间接损失很少发生,或者采取措施可以避免。

(三)补偿项目繁多,且与企业生产经营状况密切相关

停产损失补偿包括职工工资、福利、税金、留利以及贷款利息等9个大类,20余个项目,项目繁多,且这些项目与企业生产经营状况密切相关。

企业的生产经营活动不仅具有周期性特点,而且还随市场供需状况而波动,从而使企业的生产经营状况不仅年际不同,而且由于生产特点,其年内各月之间也是不均衡的。因而,有些企业基准期月份的生产经营状况不一定具有代表性。如榨菜加工厂、甘蔗加工厂的生产具有明显的季节性特点,若基准月份选在企业的淡

季或旺季,就不能代表其真实情况。因而,在评估企业停产损失时,要选择在评估基准期附近,能反映企业正常生产经营活动的一定时间周期内的财务报表资料作为依据进行评估。如采用该企业上一个年度,或上两个年度的年平均经营状况进行评估。同时,在使用企业上年度财务报表资料时,还要分析企业的生产规模,国家政策和市场物价与评估基准期相比是否发生了大的变化,若与基准期情况差异较大时,尚需进行相应的调整,而不能直接采用这些财务资料。

(四)停产期具有模拟性

在水库淹没处理中,计算受淹工矿企业停产损失是在恢复原标准、原规模和原有生产能力的前提下进行的。但是,受淹工矿企业一般都不会原拆原建,原样复制。迁建方式可能是技改扩建,或转产新建,甚至破产关闭,在这种情况下,企业停产时间肯定与原拆原建是不同的。因此,迁建企业的停产时间,依据可搬迁设备拆、运、安、调试所需时间并适当留有余地,因而停产期具有摸拟性,既不是迁建新厂的设备安装调试时间,更不是迁建新厂的建设工期。

第二节　停产损失补偿范围及构成

一、补偿原则

对受淹工矿企业停产损失进行补偿,其原则是正确处理国家、地方、工矿企业三者利益关系,不降低受淹工矿企业职工生活水平和企业发展潜力。

二、停产损失补偿评估范围

(一)计算停产损失补偿评估企业应具备的条件

受淹工矿企业要计算停产损失补偿评估的,必须具备以下 3

个条件:

(1)淹没影响性质和程度。对全厂受淹的工矿企业,一般要计算其停产损失;对部分受淹工矿企业,其停产损失计算则要根据该受淹部分的重要性、与企业生产工艺联系紧密程度确定。对于主要车间受淹的工矿企业,一般要计算全厂的停产损失。如机械厂的机加车间、水泥厂的立窑车间、纺织厂的织布车间、酒厂的酿造车间等为主要车间,它们的淹没与迁建关系到全厂生产,停产损失要按全厂计算。但是,一些大型工矿企业其分厂、车间是独立的生产系统,受淹车间与不受淹车间之间缺乏工艺联系,在计算这类企业停产损失时,只能考虑受淹车间的停产损失,而不能计算全厂的停产损失。如一个煤矿有3个矿井,仅高程最低的矿井受淹,则只能计算这个矿井的停产损失,而不能计算另外两个不受淹矿井的停产损失。

(2)企业在搬迁前或评估基准期前能正常生产。

(3)搬迁方案经济合理(按规划方案实施搬迁)。

(二)不计算停产损失的工矿企业

(1)局部受淹或只有附属设施受淹的工矿企业,因主要生产设备未受淹没影响,不存在控制性设备搬迁问题,因而不存在停产损失补偿问题。如某瓷厂,生产车间不受淹,而受淹没的生活用房、设施及进厂公路,都可以在淹没线上就近复建,不影响企业的生产,则对该企业不计算停产损失。

(2)在搬迁前已停产多年的工矿企业。

(3)按国家有关规定需关闭的工矿企业。如小煤窑、小硫磺矿、小造纸厂等。

三、停产损失补偿费构成

停产损失补偿费,包括受淹工矿企业在合理停产期内,因搬迁停产所造成的生产经营损失,以及在搬迁停产期维持企业正常运行所必需的合理费用。

根据原水利部SD130—84《规范》和原电力部DL/T5064—1996《规范》的有关规定,结合工矿企业搬迁特点,搬迁工矿企业直接停产损失补偿内容主要有4个方面9项,即职工生活水平方面的费用、生产经营、上交税金、上交管理费和其他停产损失费。计算公式如下:

停产补偿费=职工工资+职工福利费(含职工教育费、工会经费)
+离退休人员经费+流动资金贷款利息
+企业留利+上交税金+上交管理费
+行政管理费+其他停产损失 (10-1)

停产损失补偿项目详见图10-1。

(一)职工生活水平方面

(1)工资。是指工矿企业发给职工的报酬。包括正式工、合同工、长期临时工,以基准月的在册人数、费用项目、标准及实发金额为准。主要包括工资(基本工资、工龄、津贴)、各种补贴以及企业为职工上交的养老保险基金等。

(2)职工福利费。各种集体福利待遇和必要的个人补助。包括职工福利基金、职工教育经费、职工工会经费。

(3)离退休人员经费。即离退休人员的工资及活动经费,包括离退休人员工资、医疗费等。

(二)生产经营方面

(1)银行贷款利息。主要补偿流动资金贷款利息,即企业为了维持正常生产经营向银行或其他金融机构借入的、期限在一年以下的各种借款,其利息计入财务费用,并按企业本年经营收益偿付。

(2)企业留利。利润是反映企业生产经营成果的指标。工矿企业的利润除了产品销售利润,还包括其他销售利润,即外购材料的销售、非工业性作业、提供劳务等所获的利润,以及营业外收入净额等。在计算停产损失时,企业留利主要是指因搬迁而受到影响的产品销售利润。

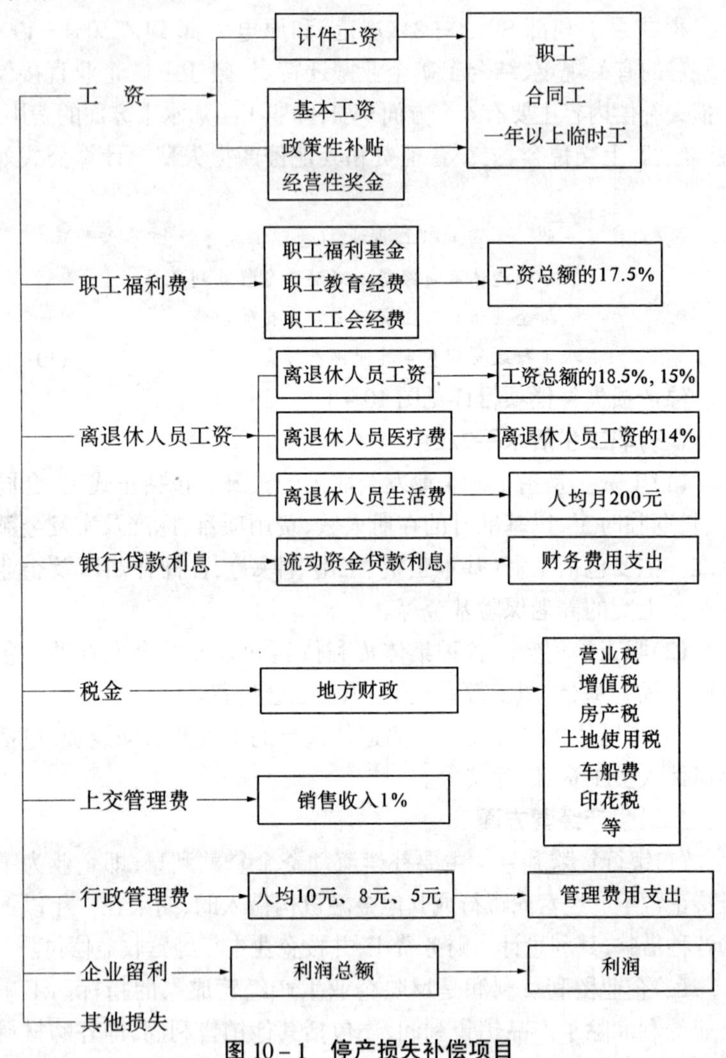

图 10－1　停产损失补偿项目

注：图中列出的停产损失补偿项目及其具体费额或费率，反映三峡库区受淹工矿企业补偿评估基准期 1993 年 5 月时的状况和政策标准。

(三)税金和上交管理费

税金包括营业税、增值税和所得税等。税金应按国家税法规定的税目、税种、税率计算。企业搬迁停产期间并无税金支出,不构成企业停产的实际损失,但停产对地方财政收入有直接影响,故只应考虑上交给地方财政的部分。上交管理费主要涉及城镇集体企业,按地方政府财政部门或主管部门有关规定计算。

(四)其他费用

其他费用是指受淹工矿企业在搬迁过程中的必要日常开支,如办公费、差旅费、邮电费等。以职工人数为基数按一定标准计算。

第三节 合理停产期的确定

一、影响停产期的因素

影响停产期长短的因素甚多,不同企业情况不同,出入较大,而国家尚无明确规定。因而,如何准确合理地确定停产期,是评估工作中的重点和难点,也是意见分歧最多、争议较大的问题。影响停产期长短的主要因素有:

(1)淹没程度。分全淹、主要生产车间受淹、局部或附属物受淹 3 种情况。全淹和主要车间受淹的企业,停产时间较长,而局部或附属设施受淹的企业,停产期可能较短,甚至可以不停产。

(2)迁建方案。易地搬迁比就地后靠停产期要长,全迁比部分拆迁企业停产时间长。

(3)搬迁距离及交通状况。搬迁距离长的企业停产期长,搬迁交通条件差的企业停产期长,反之则短。

(4)搬迁设备的精密程度、工艺流程情况、调试检测难易程度等。设备精密程度高、工艺流程紧密、安装调试难度大的企业停产期长,反之则短。

二、合理停产期

(一)设备安装调试的前提条件

设备安装调试的前提条件包括:

(1)新厂主要车间房屋、设施等土建工程基本完工,具备设备安装条件;

(2)进厂公路、厂区道路,能满足设备搬运之需;

(3)供电条件具备;

(4)供水、排水条件达到要求;

(5)专用设备拆卸、安装所需的工具、技术工人到位。

(二)合理停产期的概念及时间确定

合理停产期是指不计迁建工厂的土建工程工期,以该企业可搬迁的主要设备按在安装调试前提条件具备的情况下,拆卸、包装、运输、安装、调试、测试等用时最长的时间,并适当留有余地计算出的停产期。计算公式如下:

合理停产期=企业控制性设备(拆卸时间+包装运输时间+安装调试时间+测试时间)+不可预见因素影响时间　　(10-2)

为了确定合理停产期,首先要做好解释工作,使企业接受停产期概念。同时,要对影响停产期长短的相关因素,进行深入、细致的分析,按合理搬迁方案确定停产期。若企业停产损失与设备价值进行比较,当搬迁设备造成的停产损失高于设备价值时,则应和企业实事求是地进行协商,进一步优化搬迁方案,求得合理的停产时间。

三、停产期确定实例

(1)三峡库区某化肥厂,年生产合成氨能力为1.75万t,属全淹企业。根据移民安置规划,搬迁方案为就地后靠转产为生产能力为 6 万 t 合成氨的尿素厂。该化肥厂除机修车间外,其余各车间工序从锅炉→煤球→造气→脱硫→合成→碳化是一个工艺紧密联系的完整系统。参照国内同类大中型化肥厂经验推算停产期,约需 8 个月至 1 年。评估中按中值采用,评定为 10 个月。

(2)三峡库区某制药厂,主要生产乙肝系列类药物、蛇胆川贝片等药品。主要生产车间受淹,虽属部分受淹企业,但按规划需易地迁建。由于该厂设备包括制药及辅助设备、检测和维修设备,均属可搬迁设备,且搬迁、安装、调试都比较容易,参照国内同类行业有关资料,主车间设备安装、调试约需半年时间,故确定其停产期为 6 个月。

(3)三峡工程库区某大型机械企业主要生产高压无气喷涂机,年产 2 130 台,该企业大部分设备可以搬迁,但工艺联系不够紧密,考虑到该企业机械设备数量较多,搬迁、安装、调试有一定难度,停产期评定为 6 个月。

第四节　停产损失补偿标准及方法

一、停产损失补偿费计算原则

(一)停产损失补偿费计算要和复建、搬迁固定资产相匹配

受淹工矿企业迁建十分复杂,根据企业类别、特征、淹没程度、地形地质条件,分为全迁、局部迁建、局部改建等几种类型。对全迁企业由于是全厂停产,因此停产损失费按全厂停产直接损失计算;对局部迁建,不影响全厂总体生产的工矿企业,其停产损失费按受淹部分固定资产对应的直接停产损失计算;对仅附属设施受淹或局部改建,对企业生产未造成直接损失的工矿企业,不计算停产损失费。

(二)停产损失补偿费计算要与该企业受淹固定资产生产经营损失相对应

有的工矿企业在进行某一种物资生产的同时,又进行其他经营,如证券投资或商贸交易等。这部分的生产经营,包括人员工资、银行利息、税金、利润等与搬迁固定资产没有关系,不受搬迁影响。因此,凡有这类情况的企业,虽然也属迁建企业,但在计算停产损失费时,不应该包括这一部分非物质生产经营的各种工资、利息、税金、利润等费用。

(三)停产损失补偿费只计算该企业的生产经营直接损失费

在计算受淹工矿企业停产损失补偿费时,仅考虑该企业停产时生产经营直接损失费,不计算企业基建债务利息、长期贷款利息、合同债务等与企业生产经营无关的费用。搬迁企业应提前处理、调整供销业务,因停产出现供货延误、合同违约等索赔,应由企业自身承担,不能计入企业停产损失补偿费中。

二、受淹工矿企业停产损失补偿标准

(一)全淹工矿企业停产损失补偿费

全淹企业停产损失补偿费计算公式为:

停产损失补偿费 = ∑每月各项支出及月平均利润 × 停产时间　(10-3)

式中　∑每月各项支出及月平均利润——如本章第二节所述,数额按国家有关补偿政策确定;

停产时间——以月为单位计算。

(二)部分受淹部分迁建工矿企业停产损失补偿

部分受淹停产损失补偿费计算公式为:

受淹车间停产损失补偿费 = 企业停产损失费 × 受淹车间占该企业权重　(10-4)

式中,权重的确定按如下方法进行:

(1)按受淹车间职工人数与该企业在册职工人数(不含行政管理人员)之比确定;

(2)按受淹车间产值(或销售收入)占该企业总产值(或销售收入)之比确定;

(3)按上述两种方法的平均值确定。

三、停产损失补偿评估依据及资料凭证

在补偿评估中计算各种停产损失,一般都要使用评估基准期当月的企业财务资料、凭据。但在有的情况下,由于评估基准期当月的资料尚未统计形成等原因而无法使用,则可以利用上年的平均指标或同期相应指标,同时提供与指标相应的资料凭证。如三峡库区受淹工矿企业补偿评估,计算停产损失的依据及资料凭证主要有以下几种。

(一)工资

工资资料、凭据包括:

(1)评估基准期当月工资凭证(后附工资表);

(2)评估基准期当年应付工资或工资基金账;

(3)评估基准期当年工资统计台账;

(4)评估基准期当月银行账或现金账中的工资支付原始凭证;

(5)在评估基准期,国家及地方各项政策性补贴文件;

(6)工资与工厂效益挂钩企业需查询其本年计划数。

(二)职工福利金

职工福利金资料包括基准期当年或上年度企业的职工福利费、职工教育经费、工会经费的计算账目。

(三)离退休人员经费

离退休人员经费资料、凭据包括:

(1)受淹工矿企业所在行业离退休统筹比例的文件;

(2)离退休人员人数资料;

(3)基准期当年专用基金和营业外支出账；

(4)基准期当月离退休费支出原始凭证。

(四)银行贷款利息

一般有：

(1)基准期当年银行借贷明细账；

(2)基准期当年、月及全年的银行计息单。

(五)税金

税金资料、凭据包括：

(1)基准期当年、月应上交及应弥补亏损情况表；

(2)基准期当月应交税金及增值税明细表；

(3)基准期当年及全年税票；

(4)销售明细账。

(六)上交管理费

上交管理费资料一般有：

(1)销售明细账；

(2)基准期当年、月利润表。

(七)行政管理费

行政管理费资料指基准期当年或上一年度，企业行政管理费开支报表。

(八)企业留利

企业留利资料一般包括：

(1)基准期当年、月利润表；

(2)基准期当月企业留利明细账；

(3)如属亏损企业，还需取得1990~1993年5月的利润金额。

四、停产损失补偿费计算方法

以三峡工程库区受淹工矿企业补偿为例，停产损失各项目补偿方法如下。

(一)工资

对受淹工矿企业职工工资应执行1990年1月1日国家统计局1号令发布的《关于工资总额组成的规定》。计算工资时,应计算评估基准月工资总额的职工(包括固定职工、合同工、长期临时工3种人员)实有人数,以基准期实际支出的基本工资、政策性补贴、经常性奖金作为其工资计算标准。停薪留职人员工资按档案工资计算。工作在一年以上的乡镇企业中带资进厂人员工资据实测算。季节性临时工工资不计算。工资中还应计列由企业为职工上交的社会养老保险基金。

(二)职工福利费

按1992年4月30日财政部(92)120号文件规定,职工福利费、职工教育经费分别按工资总额的14%、1.5%计提;工会经费按国家规定标准,按工资总额的2%计提。

(三)离退休人员经费

离退休人员经费包括离退休金、离退休人员医药费、离休职工活动经费,一般按地方政府及中央部委正式文件规定标准执行;无文件规定者,可参照市、县、行业的社会统筹保险标准执行。离退休人数按离退休人员实有人数据实计算。

离退休职工医药费按核定离退休职工工资总额的14%计算,离退休职工活动经费按各地的有关规定计算。

随着国家社会保障体系的建立与完善,企业离退休人员的社会保障逐步推向社会,则企业将不发生此项费用。

(四)银行贷款利息

企业向银行贷款的利息主要按流动资金贷款利息计算。只需核实企业评估基准日实际用于流动资金贷款余额,其利率按国家法定利率标准执行。个人集资和主管部门拨入流动资金不计利息。

(五)税金

企业上交税金指应上交地方财政的各项税款,按国家规定的税种、税率据实核算。

(六)城镇集体企业上交管理费

上交管理费按城镇集体企业在评估基准月份的平均销售总额的一定比例(一般为1%~3%)计算。

(七)行政管理费

行政管理费是指受淹工矿企业在搬迁中必须发生的行政管理费用的开支,其数据按行政人员的人头计算。

(八)企业留利

指利润分配后的企业留利。工效挂钩企业,应扣除上交地方财政后的留利。如被评企业在评估基准月份前亏损,则可考虑按全年平均数计算;如被评估企业在评估基准期为全年亏损,则可按基准期前两年平均数计算。

五、交通运输行业、商贸企业停产损失补偿标准

在三峡库区受淹工矿企业补偿评估中,遇到一些工矿企业兼营交通运输业务和商贸业务,而在实体上又不易划开,评估其停产损失时按以下方式处理计算补偿费。

(一)工资

工资包括职工福利费、教育经费、工会费和离退休人员经费,均按工矿企业补偿标准和计算结果评估补偿。

(二)停产期间搬迁和搬迁损失费

(1)商贸业。在三峡工程库区淹没处理规划时,搬迁和搬迁损失费按营业面积乘17元/m^2计算。

(2)交通运输企业、商贸企业内的工矿企业实体根据财务结算界限,与上级企业划分开。对工矿企业实体采用工矿企业停产补助标准计算搬迁和搬迁损失费。

第十一章　受淹工矿企业补偿评估报告

补偿评估报告是评估机构按照合同或协议的规定,向委托方提供的补偿评估成果文件。和通常的资产评估报告一样,补偿评估报告的内容包括评估目的、评估依据、评估方法和补偿评估结果等,为受淹工矿企业投资补偿提出评估意见。补偿评估报告是评估机构对补偿投资评估成果承担法律责任的文件,因此,必须认真、严肃地组织编写、审核。补偿评估报告应按合同要求按时提供给委托方。

第一节　补偿评估报告的编写

受淹工矿企业补偿评估初步成果完成后,即应组织编写补偿评估报告,初稿完成后应与委托方交换意见,在充分听取委托方意见的基础上,经综合分析,对初步成果进行必要的调整和修改,编制正式补偿评估报告。

一、编写补偿评估报告的基本要求

(一)实事求是

评估人员在起草补偿评估报告时要实事求是,真实地反映补偿评估工作情况,同时要求报告的所有附件,如取证材料、有关市场价格信息、财务等资料,都要真实、公正地反映被评估资产的情况。绝不允许采用虚假资料,有意偏袒国家、地方和工矿企业三者中的任何一方,提供不公正的评估结果。

(二)内容全面、文字准确简练

补偿评估报告应准确、简练、全面地叙述评估目的、依据、过程和结果。措词要严谨,不能含糊不清,模棱两可。文字表达要准确肯定,以免由此引起异议,同时还要求使用人民币为统一的货币计量单位。

(三)及时提供报告

补偿评估报告应按委托协议书中的约定时间和要求,按时完成并及时交付委托方。

二、补偿评估报告书构架

一份完整的补偿评估报告书的结构如下:

(1)封面,封面上必须印制报告名称、评估机构名称、报告编制年月日;

(2)评估机构资格证书(复印件);

(3)责任人员(当时未执行注册评估师制度);

(4)目录,按规定章节排列;

(5)正文;

(6)附件。

第二节　补偿评估报告的基本内容

补偿评估报告的内容一般包括两部分:第一部分为报告的正文,即简明扼要地说明补偿评估情况和补偿评估结论;第二部分为综合报告的附表和有关的附录。

一、正文的主要内容

正文主要包括:

(1)评估机构名称;

(2)委托单位名称;

(3)被评企业的基本概况(现状、淹没情况、搬迁方案);

(4)补偿评估范围、对象;

(5)补偿评估基准日期;

(6)补偿评估方法、计价标准和依据;

(7)补偿资产界定、现场清查、鉴定情况说明;

(8)重置全价、重置净价、补偿值的测算(含实物量增减变化说明);

(9)评估结论及分析意见。

二、附表内容

附表主要包括:

(1)被补偿固定资产分类明细表;

(2)被补偿固定资产评估表;

(3)被补偿固定资产评估汇总表。

三、附录内容

附录主要包括:

(1)补偿评估方法说明和计算过程;

(2)被评估企业厂区平面布置图和主要车间设备布置图,有关资产的产权证、使用证和会计报表;

(3)被补偿固定资产清查报告、勘查记录等;

(4)资产评估机构资格证明文件(复印件);

(5)委托协议书;

(6)有关会议纪要;

(7)其他。

第三节　补偿评估报告审核

补偿评估报告的审核,是评估机构为了确保补偿评估工作的严肃性、成果的可靠性、内容的合法性并维护自身信誉的重要保障措施。在三峡库区受淹工矿企业补偿评估报告编写中,实施三级审核制度。凡对外提交的补偿评估成果、报告,必须经过三级审核,实行层层把关、层层负责。各级审查人必须认真负责,切实履行自己的职责。

一、专业负责人审核

根据受淹工矿企业补偿评估内容,评估机构专业负责人按建筑工程、机器设备、财务经济3类设置。建筑工程评估负责人,负责房屋和设施两部分评估成果的审核;机器设备评估负责人,负责机器设备部分评估成果的审核;财务经济评估负责人,负责停产损失和流动资产搬迁两部分评估成果的审核。专业负责人对评估报告的审校,为三级审核中的初审,重点放在资料数据的可靠性、测算方法的正确性等方面。

专业负责人初审应对下列问题进行审查:

(1)纳入补偿评估的具体对象及范围是否符合有关规定,有无漏评或重评;

(2)评估对象的数量是否准确、可靠,资产结构、性能等是否鉴定清楚;

(3)机器设备搬迁损失性质和程度鉴定是否准确;

(4)企业的财务报表是否齐全、准确可靠;

(5)补偿评估测算方法和标准是否合理、科学;

(6)补偿评估测算的固定资产重置全价、重置净价、补偿额及评估停产损失、流动资产搬迁补偿费中所考虑的影响因素是否符合实际，所引用的调整参数、系数、费率是否有据、合理、准确；

(7)计算是否正确无误，表格是否完善、规范；

(8)数据一致性审查，确保各项数据表表一致、表文一致、前后一致、相互不矛盾，并对报告所列关键数据进行复算；

(9)结论是否实事求是、客观、公正。

二、项目负责人审查

项目负责人审查为补偿评估报告的二审，是极为关键的审核环节，它是在专业负责人初步审核的基础上，对已进行过初步修正的补偿评估报告审核。

项目负责人审查要对下列问题进行审核：

(1)对补偿评估报告书的审核，要结合初审说明，核查两者的衔接，检查初审的问题是否已纠正，防止初审后再出现错漏之处。

(2)项目负责人审核的重点是补偿评估结果部分，进行全部评估项目的综合平衡。要从保证补偿评估结果的可靠性、准确性出发，着重审核报告所列各项数据，特别是补偿评估结果中最后向委托方报告的本项目的补偿评估价值。在审核中，必要时要对报告书中所列各项数据进行重新审核、计算，以求发出的报告补偿评估结果合理与准确。

(3)补偿评估结论意见审核。要求补偿评估结论意见客观、公正、准确，实事求是。

三、评估机构负责人终审

评估机构负责人的终审，是对补偿评估报告书最后的审核。评估机构负责人要在前两次审核的基础上，着重从政策上、原则上、补偿评估操作规范上和评估结果的科学性、合规性上把关。

评估机构负责人终审要对下列问题进行审核：

(1)审核补偿评估报告是否符合合法性原则；

(2)审核本项目补偿评估的实质性内容是否准确无误;

(3)对补偿评估报告书总体结构上作宏观的审定。

上述三级审核,既有共性又有个性,彼此各负其责,各有侧重,互相配合,要克服依赖思想,不能只是走过场,以避免和杜绝失误。

第四节　补偿评估报告的验收

一、验收单位

补偿评估报告的验收,一般由补偿评估任务的委托方组织与主持。

二、验收依据

委托单位验收补偿评估成果报告的主要依据,是委托协议书及国家的有关政策、法规和标准规范。

三、验收主要内容

验收主要内容包括:

(1)资产评估机构资质;

(2)补偿评估工作程序是否完善、符合规定;

(3)实际补偿评估范围、对象与淹没调查指标是否一致,被补偿评估资产有无漏评、重评;

(4)补偿评估标准与单价是否符合规定;

(5)影响资产价值的因素是否考虑周到;

(6)引用的法律、法规和国家政策是否适当;

(7)引用的资料数据是否真实、合理、可靠;

(8)运用的补偿评估方法是否正确、可行;

(9)补偿评估价值是否合理;

(10)补偿评估结论是否客观、实事求是；

(11)补偿评估工作是否符合合同或协议书要求；

(12)其他。

四、验收方式

委托方可组织有关专家、部门及单位领导和工程技术人员，以审查会方式评审或以书面方式提出评审意见。

五、补偿评估报告的复勘、复评与修订

补偿评估报告经委托方审查，若未达到合同要求，或补偿评估结果不符合实际，或成果质量较差，委托方有权要求评估机构进行复勘、复评，重新修订补偿评估报告。

第十二章 受淹工矿企业补偿评估管理

受淹工矿企业补偿评估，是评估机构在国家和地方政府有关主管部门的组织管理下实施的一项特殊资产评估业务。补偿评估管理是指有关主管部门，对水利水电工程库区受淹工矿企业补偿评估的行为、工作过程、评估结果和有关当事人进行规范、指导、协调和监督管理的活动，以使补偿评估业务在规范、法制、科学的轨道上发展。

通过补偿评估管理，使补偿评估结果客观、公正、公平、合理，有效协调国家、地方和企业三者利益关系。

第一节 补偿评估管理的目的

补偿评估作为一项特殊的资产评估业务，在我国还处于起步阶段。补偿投资评估在三峡工程库区移民工作中首创并且取得了显著效果，近年来在一些大型水利水电工程库区得到推广应用。但从国家立法角度上看，补偿评估工作尚缺乏规范。因此，加强对补偿评估管理，对于确保我国补偿评估这项特殊资产评估业务的正常发展，具有十分重大的意义。

补偿评估管理的目的是：

(1)正确贯彻执行国家有关的移民方针和政策，建立一套适合库区受淹工矿企业补偿评估的工作程序和操作规范，使补偿评估工作在统一、科学、规范、法制的轨道上正常、有序地发展。

(2)通过对补偿评估业务的有效管理，合理确定受淹工矿企业补偿资金,促使受淹工矿企业通过迁建进行产品结构、产业调整和优化配置。

(3)促进补偿评估机构及其人员的技能和职业道德水平的提高,加强工作责任感,提高执业能力。

(4)加强对补偿评估工作的指导和检查,保证补偿评估结果客观、公正、科学、合理,正确处理好国家、地方和企业三者之间利益关系,维护受淹工矿企业的合法权益。

第二节　补偿评估管理的职能和任务

一、补偿评估工作管理体制

根据水利水电工程库区移民工作管理体制要求,补偿评估工作实行“统一领导、分级管理”的模式,国家有关主管部门审批参与补偿评估的评估机构执业资质,并对评估机构按国家有关政策法规的操作情况进行监督,确认补偿评估结果。省、市政府有关主管部门负责补偿评估工作的管理和评估机构的选定,审查补偿评估结果。县政府有关主管部门协调补偿评估工作的具体实施。

二、补偿评估管理职能

实施补偿评估管理的主体是国家有关主管部门。如三峡库区受淹工矿企业补偿评估管理部门是国务院三峡工程建设委员会办公室。其主要职能是:

(1)研究制定有关补偿评估工作的政策、制度和办法,经审定发布后,监督、检查实施情况;

(2)审查批准补偿评估机构,指导和监督补偿评估业务活动;

(3)组织对补偿评估人员的培训和业务考核,组织对补偿评估理论的专题研究；

(4)汇总、整理、分析有关补偿评估的信息，提供补偿评估信息服务；

(5)组织补偿评估工作的经验交流，开展补偿评估的合作与国际交流。

三、补偿评估管理的基本任务

补偿评估管理的基本任务包括以下几方面：

(1)研究补偿评估理论和政策。制定和贯彻有关补偿评估的政策、法规和办法，为补偿评估工作提供理论和法规依据。

(2)补偿评估工作的监督检查。主要包括监督、检查补偿评估工作是否按法定程序和基本准则进行，采用的资料是否完整、真实可靠，补偿评估方法是否科学合理，补偿评估结果是否客观公正。

(3)对补偿评估机构的审查。对申请承担补偿评估的机构除了审查其是否具备资产评估资质外，还应审查其是否具备从事补偿评估业务的能力与业绩。对于违反规定、提供不真实资料、共同作弊，以及玩忽职守，导致补偿评估结果严重失实并造成国家财产损失的评估机构和被评估单位，要实行经济和行政处罚直至追究法律责任。

(4)协调补偿评估工作中的各方关系。补偿评估工作涉及到很多部门和单位，以及不同所有制形式的经济单位，因此，既要协调被评估单位与上级部门间的关系，又要协调评估机构与被评估单位间的关系。

(5)补偿评估结果的审查确认。组织专业理论基础扎实、具有丰富实践经验的评估专业人员、工程技术人员以及移民专家等，对补偿评估结果进行评审验证，及时作出是否给予确认的决定，并通知被评估单位和评估机构。

(6)完善操作规范和激励约束机制。补偿评估直接关系到有关地方和企业的切身利益，由于地位不同，处理问题的角度、认识问题的方式及操作方法不同，补偿评估结果差异会很大。如果没有统一的操作规范，评估人员对补偿内容可能有不同的理解，极易把不应纳入补偿的项目也纳入进来，或应该补偿的资产未纳入补偿评估范围，引起企业互相攀比和不必要的混乱。

(7)调查了解补偿评估工作开展情况。通过调查，发现并反馈补偿评估工作中存在的和需要改进的问题，组织补偿评估行业交流经验，收集、整理与补偿评估有关的信息资料，建立信息数据库，为补偿评估业务更好地发展作出努力。

第三节　补偿评估工作机构的管理工作

一、从事补偿评估工作单位应具备的条件

从事水利工程淹没资产补偿评估工作的单位必须具备以下条件：

(1)正式资产评估机构必须是经国家评估机构主管部门批准、经工商行政管理局核准注册登记的具有法人资格且具有一定补偿评估业绩，并经水库移民主管部门审核、登记的资产评估机构。

(2)在评估机构中，除具有与其资质相应的各类专业、专职技术人员外，还应有熟悉水利水电工程水库移民政策、法规、规范的具有高级技术职称的水库移民技术人员。

二、评估人员的素质

评估人员的素质对补偿评估工作水平和评估工作质量至关重要。参与补偿评估业务的资产评估机构，应不懈地对员工进行素质教育。

(一)业务素质

参与水利水电工程受淹工矿企业固定资产补偿评估的工作人

员必须通晓资产评估基本原理、基本方法和操作规范,熟悉水库淹没处理规范和移民政策,能根据不同评估目的和不同评估对象选择最适宜评估方法;在具体操作中能熟练运用各种参数、指标和计算公式;具有较高的搜集、分析和运用资料的能力;刻苦钻研专业理论,了解国内、国际评估理论发展动向,在补偿评估实践中,不断研究和发展补偿评估理论、原则和方法。参加水利水电工程项目水库淹没处理补偿评估时,要了解该项目的规划设计总体情况。

(二)政治素质

补偿评估工作政策性强,要求参与补偿评估的工作人员具备较高的政策水平,并在评估中贯彻执行国家有关的方针政策和法规。

(三)职业道德素质

评估人员在执业过程中,要认真执行国家有关补偿评估方面的法规政策和其他相关的法律、制度;自觉抵制违反法律、法规的行为,作风正派,办事公道,实事求是,一丝不苟,不屈服于来自各方面的干预,不以个人的好恶等感情因素影响工作的客观性;不以执业之便谋取私利,不收受被评估单位的任何好处,更不得索贿、受贿。

第四节　补偿评估程序化管理

一、补偿评估程序化管理目的

对补偿评估业务进行程序化管理,是水库淹没处理补偿评估质量保证体系的重要一环。是逐步实现补偿评估业务规范化、制度化的需要,是不断提高补偿评估质量的重要保障。

补偿评估工作程序流程如图 12-1 所示。

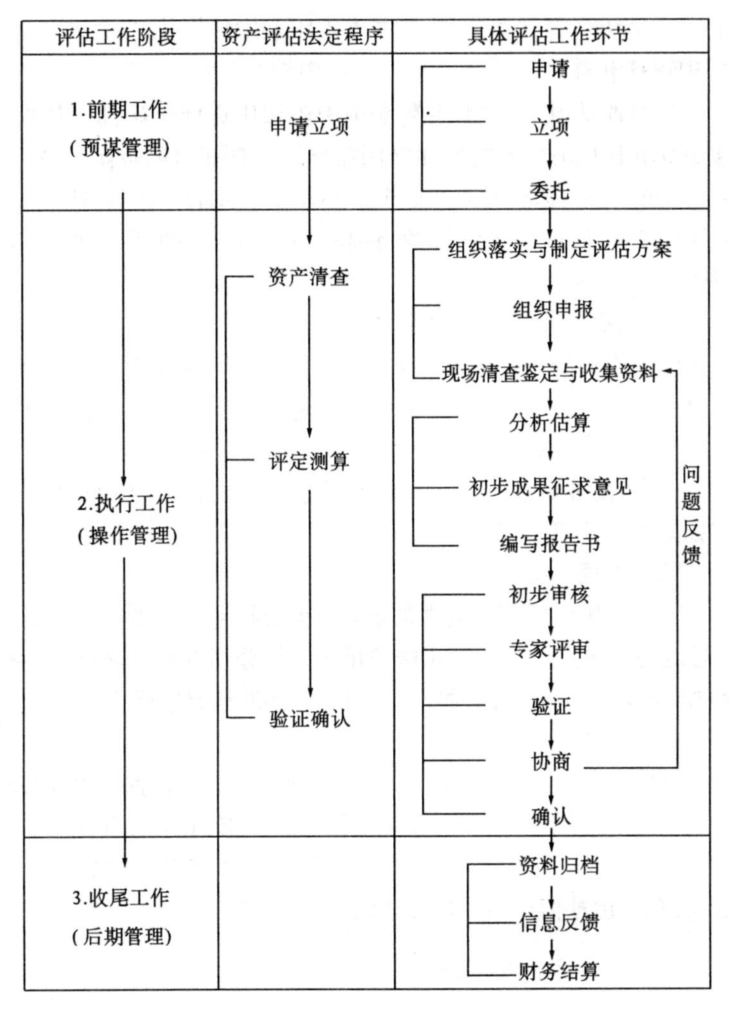

图 12－1　补偿投资评估工作程序流程

二、补偿评估预谋管理

预谋管理就是前期工作，主要进行评估前的决策和组织准备工作。包括申请、立项和委托等3个具体环节。

(一)申请

补偿评估申请,应由水利水电工程库区规划设计部门依据法律法规和移民方针、政策,在向国家有关主管部门报送移民安置规划大纲的同时,提出受淹工矿企业补偿投资评估任务书,其中包括受淹工矿企业补偿评估目的、评估范围、对象、种类和评估基准日等。

当然,提出要进行补偿评估的不一定只局限于受淹工矿企业,对水库淹没处理中的其他大类用通常办法难以确定合理补偿费的项目,都可以用补偿评估办法合理确定。三峡工程库区在十年移民工作实践中,除对受淹工矿企业进行补偿评估外,还对不少县市港口码头、商业企业等进行了补偿评估,都取得了很好的效果,得到各方面的认可。

(二)立项

一个水利水电工程,通常都是有重大影响的基本建设项目,其淹没处理的具体项目很多,不可能按单个项目分别审批,当补偿评估任务书经国家主管部门审查批准后,即视同已准予补偿评估立项。

(三)委托

补偿评估的社会性、专业性很强,评估委托应根据水电建设项目水库淹没处理管理权限,分别由国家、省(市)和县级移民主管部门委托。受委托的补偿评估机构必须是经国家有关主管部门审批,具有承担补偿评估工作资质的机构。

三、补偿评估操作

补偿评估操作,包括组织落实与评估方案制定,组织被评单位资产申报,现场清查、鉴定,评定估算,编制评估报告书等环节。

(一)编制评估工作方案

补偿评估工作的实施方案或工作计划内容,包括业务项目名称、评估目的与要求、评估范围和种类、计价标准与评估方法、工作步骤与日程安排、人员分工与工作纪律、工作经费预算,以及其他有关事项。

(二)组织被评单位申报

评估机构会同地方有关主管部门一起召开评估项目申报动员会,布置、讲解申报内容及要求。评估机构应对被评估企业申报工作进行指导。

(三)资产清查

评估人员进入现场按专业分工进行实地勘察。对房屋、设施,要现场勘测、丈量面积,认定结构状况并区分类型和质量等级;对主要设备,要弄清楚数量、规格、型号、性能、生产厂家、制造与购置、安装使用日期,鉴定新旧程度;对实物性流动资产,要分类清点数量,了解质量等级,进货批次及其不同进价等。通过上述工作,做到5个相符,即账实相符、账账相符、账表相符、账证相符、账卡相符。要认真验明资产的所有权和实际占有权。在清查过程中,要认真收集各种资料,重要资料应列入评估报告的附件。

(四)评定估算

通过对被评估资产的性状(如资产的品质、技术性能、损耗情况、功能变化、成新率、使用年限、在产品的完工程度等)的分析,选择科学、可行的评估方法和计价标准进行评定估算。

(五)编制补偿评估报告

通过整理、汇总有关资料,提出补偿评估报告,同时检查复核评估资料、数据、结果。

四、补偿评估后期管理

(一)审查

国家或省(市)有关主管部门应组织有关专家,对补偿评估报告进行评审。审查的主要内容包括:

(1)补偿报告书的各项内容有无错漏；

(2)补偿评估工作是否符合法定手续和有关政策法规；

(3)补偿评估范围与基准时间是否符合规定目标；

(4)补偿评估计价标准、评估方法的合理性；

(5)分析数据的可靠性；

(6)评估机构是否超越业务范围，是否具有承担相应业务的资质能力。

(二)确认

国家或省(市)有关主管部门，经过对补偿评估报告进行全面认真的审查和协调，认定符合国家有关法律和评估规范，则向被评估单位和受委托的评估机构下达补偿评估结果确认通知书。

补偿评估结果经主管部门审批后，可作为各受淹工矿企业补偿投资的法定依据。

五、补偿评估档案资料管理

补偿评估资料归档，是补偿评估技术管理的重要内容。要按照国家有关档案管理规定进行。

补偿评估档案资料包括：

(1)补偿评估任务委托书；

(2)委托协议书(评估合同)；

(3)补偿评估方案(办法、大纲或技术要求)；

(4)工作计划；

(5)企业补偿评估申报表；

(6)企业提供的财务报表及有关资料、文件、报告、说明，等等；

(7)所搜集到的有关工程定额、价格资料、有关税费规定等法律、法规、政策文件和技术资料；

(8)评估资产界定成果及界定报告；

(9)现场查勘、鉴定记录；

(10)委托方对补偿评估报告初稿讨论意见书;

(11)验收、确认资料(如审查会纪要,书面验收意见等);

(12)企业反馈意见;

(13)认为有存档价值的其他资料。

参与补偿评估的有关单位,包括地方移民主管部门、被评企业和评估机构要按上述内容将评估资料及时整理归档。

附录1

三峡水库受淹工矿企业改建、迁建补偿投资评估办法(试行)

第一章 总 则

第一条 为了全面、真实、正确地反映三峡水库淹没设计工矿企业(包括其他需要进行评估的单位或项目,简称受淹工矿企业,以下同)的固定资产价值量,为确定这些工矿企业的改建、迁建补偿投资提供科学依据,特根据国务院颁布的《国有资产评估管理办法》、国务院三峡工程建设管理委员会批准的《长江三峡工程水库淹没处理及移民安置规划大纲》(以下简称《规划大纲》)以及有关规定,制定本评估办法。

第二条 凡受三峡工程水库淹没影响需要改建、迁建的各类工矿企业,应当按本办法规定进行补偿投资评估。

第三条 三峡水库受淹工矿企业改建、迁建补偿投资的评估工作,是特定目标的资产业务,是水库移民规划工作的重要组成部分,是一项政策性、技术性、经济性很强的工作。在评估工作中,必须贯彻执行国家有关方针政策,遵守国家法律和法规,遵循科学性、真实性和可行性原则,依照国家规定的标准、程序和方法,力求做到客观、公平、合理地对三峡工程水库淹没工矿企业补偿投资进行评估,能保护固定资产占有企业的合法权益,又能防止国家利益受损。

第四条 在物价上涨和重置标准提高的情况下,固定资产的账面价值与实际价值发生严重背离。同时,由于固定资产迁建而引起的企业停产损失具有明显的特殊性和较大的伸缩性,在评估中,应该按照规定时限的价格水平、固定资产的拆迁情况和新旧程度以及企业搬迁过程的具体情况,实事求是地评估补偿投资。

第五条 评估补偿投资的额度,应按原标准、原规模恢复企业原有生产能力为原则。如果企业要结合迁建进行技改、扩建或转产,其增加的投资额,应由企业通过其他资金渠道自行筹集,不得列入此项补偿投资的评估范围。

第六条 补偿投资评估的基准日期定为1993年5月31日。

第七条 库区受淹工矿企业的补偿投资评估工作在国家国有资产管理局的业务指导下,由长江水利委员会(以下简称长江委)负责。各县(市)的评估工作由长江委牵头,会同地方主管部门组织、协调。

第八条 库区受淹工矿企业补偿投资评估业务工作,由长江委聘请有关专家,统一委托持有国务院或者省、自治区、直辖市人民政府国有资产管理行政主管部门颁发的国有资产评估资格证书的资产评估公司、会计师事务所、审计事务所、财产咨询公司等评估机构进行。

第九条 固定资产占有单位、资产评估机构、国有资产管理行政主管部门和行业主管部门在评估过程中都必须承担国务院颁发的《国有资产评估管理办法》中规定的法律责任。

第二章 被评估对象范围

第十条 应该评估的资产占有单位,是指因长江三峡工程水库受淹的直接从事工业生产活动的经济单位。其经济类型包括全民所有制、集体所有制、私人所有制、混合所有制和其他所有制的工矿企业单位，淹没的设计标准（水位）按《三峡工程水库淹没实物指标调查大纲》规定执行。

第十一条 局部受淹或附属设施受淹，仅需局部改建的工矿企业只对受淹没的固定资产和按原规模、原标准、原生产能力改建的补偿投资进行评估；全部、大部分或主要车间受淹，确需易地迁建的工矿企业，要对其全部固定资产按原规模、原标准、原生产能力迁建的补偿投资进行评估。

第十二条 受评的固定资产以1991～1992年三峡库区淹没调查登记的事物范围、类别和数量为基础核定。对大部分或主要车间受淹，确需全部易地迁建的工矿企业的淹没线上固定资产要另表登记、核查确认。

第十三条 被评企业账外资产和淹没调查之后，国务院办公厅1992(17)号文之前新增资产，由企业出具有效凭证，与账内资产分别登记，经现场勘查核实、确认后，可纳入评估范围。

第十四条 应该评估的固定资产，是指单位价值在规定的标准以上，使用上限在一年以上的，并在使用过程中保持其原有事物形态的劳动资料和其他物资资产。具体评估对象包括以下几类：

1. 房屋。房屋应按用途、性质、建筑结构、结构构件材质分类。房屋用途分生产、生活、附属等类别。建筑结构分框架、刚架、排架、混合等类别。结构构件材质分钢结构、钢和钢筋混凝土、砖混、砖木、土木、竹木等类型。

2. 设施。工矿企业设施范围较广，如水塔、堡坎、围墙、水池、上下水道、矿井等，应根据具体设施性质、用途、结构材质等因素分类。

3. 设备。包括机械制造、石油、化工、矿山、轻纺、食品、电力、邮电等行业的动力设备、工作设备、运输设备和附属设备。按性能分通用、专用和非标准类别。按用途分生产设备和非生产设备等类别。按结构性能特点分不可搬迁、可搬迁需拆卸、可搬迁不需拆卸和自行能力的运输工具等类别。

第十五条 凡淘汰废置、报废的固定资产和淹没调查以后不符合国务院办公厅1992(17)号文规定新增的固定资产，不进行评估。

第十六条 企业淹没厂区占地面积，根据当地土地主管部门的证明(土地证)核实确定，在城镇搬迁规划中统一处理，不在改建、迁建补偿投资范围内评估。补偿投资评估不涉及资产性质和产权变动。企业之间的厂区界限、固定资产权属，由企业之间和当地政府主管部门处理解决。

第三章 评估程序

第十七条 受淹工矿企业改建、迁建补偿投资评估按照下列程序进行：

(1)评估立项；

(2)企业资产申报；

(3)现场资产清查；

(4)评定估算；

(5)验证确认。

第十八条 三峡库区受淹工矿企业改建、迁建补偿投资属特殊资产评估项目，一旦国务院三峡工程建设委员会批准《规划大纲》，即视同批准补偿投资评估立项，各受淹工矿企业不再单独申请立项。

第十九条 由受淹工矿企业在接到评估通知后，根据1991～1992年库区淹没实物调查的该企业固定资产实物范围和种类为基础，填报受评固定资产目录；提供会计报表；提供企业占地面积和企业总平面布置图及有关设计图纸与设计资料。企业账外固定资产和淹没调查后，符合国务院办公厅 1992(17)号文规定新增的各类固定资产要出具有效凭证。账内、账外和新增等各类固定资产要分项、分表、分类填报。

第二十条 由长江委规划调查人员和评估结构会同企业主管部门，通过现场勘察，对受淹企业评估资产和实有数量、质量情况实地丈量、盘点，进行账账、账表、账实的清理和核对，对企业会计报表作出鉴定；收集待评资产的各种有关资料。核查中如发现实际情况与申报情况不符时，由长江委和地方主管部门本着实事求是的原则协商处理。由评估机构提出资产清查报告。

第二十一条 评估机构根据《规划大纲》和本办法的规定，对委托评估的资产据实评估。评估机构应将评估的初步结果向企业作出说明，征求企业意见，综合分析，吸收合理意见，全面复核评估成果，完成评估报告。

第二十二条 评估报告报长江委审查，对未完成评估委托要求的，评估机构要补充完善，重编评估报告，对审查中发现重大问题的评估成果，要进行复勘、复评。长江委将审查的评估成果上报上级有关部门组织确认。

第四章 评估办法

第二十三条 评估分两个层次进行，即固定资产(规定基准期)价值量评估和改建、迁建补偿投资评估。固定资产重估应以取得成本价为基础，选用重置成本法、现行市价法、收益现值法、清算价格法等方法，或几种方法结合计算确定。

第二十四条 补偿投资评估，在固定资产评估的基础上，除计算按原标准、原规模恢复重建补偿投资外，还包括企业在改建、迁建中发生的各项必要费用和合理停产期内的停产损失。应根据不同评估对象的性质、特点分别采用既科学合理又简便易行的方法。

第二十五条 重置成本法是指对评估固定资产按基准期的完全重置成本（重置全价）减去在使用、存放过程中的有效损耗和功能性损耗。根据水库淹没处理补偿原则，重置成本一般宜采用复原重置成本法计算，只是在不具备复原重置条件时，采用更新重置成本方法计算。重置全价一般按重置核算方法估算。根据被评估资产的特性和具体情况，也可选用对其适宜和方便的功能价值法等方法估算。有形损耗和功能性贬值的估算，则要通过现场勘查、判断其实际情况，选用适宜方法估算。

第二十六条 需采用收益现值法评估的企业或其中的部分固定资产，应当根据被评资产合理预期内获利能力和适当折现率，计算出资产的现值（固定基准期），并以此评定重估价值。有的资产在同一市场范围能找到与之完全相同的资产，或购建时限与评估基准期很近的全新资产的现行市价，可以依其价格作为被评估资产的基准期价值。

第二十七条 受淹工矿企业固定资产改建、迁建补偿投资，可在已评估的固定资产的基础上，按以下情况分别计算确定：

1. 不可搬迁的固定资产补偿投资，以恢复其建筑、设备、设施的规模和功能或生产能力为标准。

2. 可以搬迁需拆卸的设备，只需要计算拆卸、运输、安装调试等搬迁费。

3. 可搬迁不需拆卸的设备，只估算运输费。

4. 确需搬迁的定额流动资产只估算搬迁运输费。

5. 淹没企业固定资产改建、迁建确需停产的，在合理停产期内发生的停产损失，应包括其相对应部分的工资总额、计提的职工福利基金和教育经费、企业留利和上交税金等内容，根据各企业近年的会计核算资料，按实际发生额分析计算确定。

第二十八条 水库淹没处理的工矿企业改建、迁建补偿投资评估，不属房地产评估，厂区占地面积补偿，根据《规划大纲》确定标准，按本县市受淹旱地的平均补偿单价计算。

第五章 评估工作费用

第二十九条 有关评估工作费用，均由长江委在三峡工程水库淹没处理和移民安置规划设计费中列支。

第三十条 本着支持三峡工程、服务三峡工程、建设三峡工程的精神，各受委托参加三峡工程受淹工矿企业改建、迁建补偿投资评估的机构，应按规定收费标准的最低限收取评估费用。

第六章 附 则

第三十一条 关于补偿投资评估中的具体操作，如企业资产申报分类表格及填报要求、企业提供文件的类别、资产现场勘查清点的项目细节及资产清查报告和评估报告的编写要求等问题，将在《评估细则》中作出详细规定和说明。

第三十二条 在评估中遇到特殊淹没处理问题，在先评估的基础上，报上级有关部门研究处理。

附录 2

三峡水库受淹工矿企业改建、迁建补偿投资评估办法实施细则(试行)

第一章　总　则

第一条　根据《长江三峡工程初步设计阶段水库淹没处理及移民安置规划大纲》第六章工矿企业改建、迁建规划的精神和其附则五《三峡水库受淹工矿企业改建、迁建固定资产补偿投资评估办法》(以下简称为《规划大纲》和《评估办法》规定,特制定本实施细则。

第二条　本实施细则适用于三峡水库受淹工矿企业改建、迁建补偿投资评估。行政事业单位、社会团体的固定资产和城乡居民的房屋设施需要评估的,可参照本细则执行。

第三条　受淹工矿企业固定资产评估和改建、迁建补偿投资评估参照的价格水平年定为 1993 年 5 月。

第四条　《评估办法》第七条规定的"评估补偿投资限度,以恢复企业原有的生产规模为原则"是指:

1. 对淹没及影响区内的固定资产价值评估均需计它们的损耗、新旧程度,但补偿投资对不可搬迁固定资产按恢复重建原标准、原生产规模的重置全价进行补偿。

2. 对可搬迁设备,按尚能继续使用的设备拆卸费、包装费、运输费以及恢复重建达到原有技术状态的安装调试费等进行评估和补偿。

3. 对企业迁建过程中的停产损失给予补偿。

4. 对工厂淹没区的果木损失按土地管理法有关规定进行评估和补偿。

第二章　被评估对象范围

第五条　受淹工矿企业固定资产评估是指该企业所有的、正在使用的固定资产。各单位固定资产的划分一律按财务会计制度规定标准。根据受淹工矿企业改建、迁建补偿投资评估特点,凡属以下固定资产,不予评估资产价值:

1. 在淹没实物指标调查以后,经国务院下达文件控制水下基建规模后新增的固定资产;

2. 租用固定资产;

3. 不需用固定资产;

4. 土地等。

第六条　对全淹和基本全淹(以主要车间受淹为准)以及受淹没影响需要易地迁建的工矿企业,要对全厂固定资产价值进行评估,区分受淹与不受淹资产;对局部受淹和仅附属设施被淹且仅需部分改建的工矿企业,只需对淹没涉及部分的固定资产进行评估。

第七条　在建工程,1991 年(含 1991 年)以后购建的固定资产,原则上不再进行评估,其评估价值按已完成投资额和该资产的原值扣除已提折旧额后的余额计算。若物价上涨和重置标准已提高,可根据实际情况予以调整。

第八条　受淹工矿企业在淹没实物调查阶段清查出来的各项账外固定资产,在企业出示有效凭证后,可对正在使用的固定资产进行评估，与账内资产相区别，单独统计。

第九条 对具有防护可能的受淹工矿企业，可以进行补偿投资评估，但应与防护工程造价相比较，择其技术经济合理的投资作为补偿投资。

第十条 对流动资产（原材料、低值易耗品、半成品、在制品、辅助材料）、专项资产等的各项搬迁费用（拆卸、搬运、安装、调试等）进行估算和补偿，但不对资产的价值进行评估。

第三章 评估程序

第十一条 企业自查是指被评估企业接到资产评估机构的通知后，应组织班子在原淹没实物指标调查的基础上，进一步清理核实固定资产（尤其是账外资产）的规格、型号、出厂年月（建造年月）、生产厂家、已使用年限、尚可使用年限、生产能力、原值、净值和资产完好程度，填写《三峡水库受淹工矿企业固定资产申报核查表》（如附表 1－1 至附表 1－4）按规定时间报资产评估办公室。

第十二条 资产评估机构对委托评估的资产，在核实的基础上，根据不同的评估对象及其特性，按照国家有关法律、法规和政策规定，考虑到影响资产价值的各种因素，运用科学的评估方法，选择适当的评估参数，独立、公正、合理地评估出资产的价值。

第十三条 资产评估机构在对固定资产价值评估的基础上，根据补偿原则和标准测算出补偿投资。

第十四条 资产评估机构在评估后应向委托方提交评估结果报告书，其内容包括正文和附文两部分。

正文部分的主要内容：

（1）评估资产范围、名称和简单说明；

（2）评估原则；

(3)评估方法、计价标准和依据;

(4)对具体资产评估的说明;

(5)评估结论;

(6)评估机构负责人、评估项目负责人签名,并加盖评估机构公章。

附文包括:

(1)固定资产申报核查表;

(2)固定资产补偿评估表;

(3)其他。

第十五条 评估机构将评估报告提交给企业主管部门审核和签署意见,对国有资产应请国有资产行政主管部门确认。如企业和企业主管部门对评估结果有异议,应提出意见,与评估结果一同上报,由上级主管部门裁定。

第四章 评估方法

第十六条 对于受淹企业改建、迁建补偿投资评估计算,应根据不同的评估对象和补偿情况,分别采用既科学合理又简单易行的方法,同时还要考虑评估结果的可比性。

第十七条 属于评估范围的固定资产,其重估价值采用复原重置成本法。

第十八条 复原重置成本法是指用与资产相同的材料、建造标准、设计结构和技术条件等,以现时价格再购建相同的全新资产所需的成本。其计算公式如下:

$$\text{固定资产重估价值} = \text{复原重置成本} - \text{复原重置成本} \times \frac{\text{已使用年限}}{\text{已使用年限} + \text{尚可使用年限}} \times (1 - \text{无形磨损系数})$$

对现有市场价格固定资产采用下面公式:

$$复原重置成本 = 1993年资产参照市场价格 \times 调整系数 \times (1 + 运输安装系数)$$

对无可参照的市场价格固定资产原值确定,可采用:

$$复原重置成本 = 资产原值 \times \frac{1993年分类价格指数}{购置时分类价格指数} \times 调整系数$$

第十九条 补偿投资评估,应在固定资产价值评估的基础上,根据已确定的迁建方案,按照补偿原则和标准进行测算。对不可搬迁的固定资产按重置全价补偿,对可搬迁需拆卸的固定资产的搬迁损失费用按重置成本的一定比例确定,对可搬迁又不需拆卸的固定资产一般不予补偿。

第二十条 因企业改建、迁建而发生的停产损失,包括企业从停产搬迁之日起到改建、迁建完成开工生产之日止的各类职工工资,各种津贴和补贴,按规定从成本中提取的经常性奖金、离退休职工费用,应提取的职工福利基金和职工教育经费,企业应留利润,银行贷款利息按评估前一月的实际贷款数和现行利率计算。

第二十一条 受淹企业改建、迁建过程停产损失的计算必须满足以下三个条件:

1. 企业连续生产;
2. 主要车间停产;
3. 搬迁方案经济合理。

第二十二条 以下企业不计算停产损失:

1. 局部受淹企业或只有附属设施受淹企业;
2. 已停产多年的企业;
3. 不需恢复重建的企业。

第二十三条 在固定资产评估和补偿投资评估中采用的价格及价格指数,成新率、技术特征指标,有关经济参数根据国家技术经济标准,考虑到库区具体情况,另行编制,供评估选用和参考。

第二十四条 固定资产评估价格标准,应根据不同评估对象及其特性,选用不同价格标准,可以采用国家计划价,也可以采用国家指导价、国内市场价和国际市场价。汇率、利率应执行国家牌价,对同类资产应该采用同一价格标准评估。

第五章 评估工作的组织实施

第二十五条 库区受淹单位的固定资产评估工作按《评估办法》第三条规定,由长江委牵头,与地方政府,国有资产行政管理部门、行业主管部门共同组成评估领导小组,负责评估工作的组织、协调、管理和监督、审核工作。

第二十六条 评估领导小组下设资产评估办公室,办公室是资产评估的业务部门,负责具体的评估工作。办公室人员由评估小组聘请持有国家颁发的国有资产评估证书的会计事务所或审计事务所的有关专家组成。

第二十七条 根据《评估办法》第二十一条的规定,资产评估工作应先进行试点。试点地区资产评估应至少选择占全部受淹企业10%的单位逐个进行。选定的企业应包括各种行业、各种经济成分、各种不同规模(大、中、小型)和不同建厂时间的企业,以便使试点企业具有一定的代表性,从而取得经验,指导以后工作。

第二十八条 受淹地区和企业、单位正在进行清产核资工作的,应将固定资产补偿投资评估工作与清产核资工作相衔接。

第二十九条 各企业、单位有一名主要负责人挂帅组成得力的办事机构(或专人负责)配合资产评估办公室的工作,负责提供其所需要的各种资料、填制的有关表格、汇总的数字。

第三十条 各企业、单位应及时提供有关会计凭证、账簿和年度账务报表等资料,以保证评估工作顺利进行,对拒不提供原始和有关凭证的单位,当地政府和业务主管部门应积极协助说服教育和批评。

第三十一条 评估小组应在企业自查前,组织企业的自查人员参加资产评估培训。然后按《评估办法》第三章所规定的评估程序进行评估和资料汇总。

第三十二条 评估机构要对评估结果的客观、公正、真实性承担法律责任。

第三十三条 评估的基本依据是已经长江委调查小组和企业、单位双方签字的各种《淹没实物指标调查表》。

第六章 附 则

第三十四条 评估依据是:

1.《国有资产评估管理办法》;

2.《国有资产评估管理办法施行细则》;

3.《清产核资资产价值重估实施细则》;

4.《清产核资价值重估实施细则》;

5. 已经签字的各种淹没实物指标调查表;

6. 迁建投资规划表;

7.1993年的价格指数。

第三十五条 本细则解释权在长江水利委员会。

附:三峡水库受淹工矿企业固定资产申报核查分类明细表(附表1-1—附表1-4)

三峡水库受淹工矿企业改建、迁建补偿投资评估表(附表2-1—附表2-4)

三峡水库受淹工矿企业改建、迁建补偿投资评估企业汇总表(附表3)

附表

附表 1－1　　三峡水库受淹工矿企业固定资产申报核查分类明细表——房屋类

企业名称：　　资料时间：　年　月　日　　水位分级：　　账(内、外)新增

序号	申报内容											清查核实						
	名称	房产证编号	结构及特征	建筑面积(米²)	建筑年月	规定折旧年限	已使用年限	房屋价值			备注	结构特征	层数	建筑面积	建造年月	原值(元)	新旧程度	备注
								单位造价(元/米²)	原值(元)	净值(元)								
1	2	3	4	5	6	7	8	9	10	11	12	13	14	15	16	17	18	19
页计																		

企业负责人：　　实物负责：　　财务负责：　　清校人：　　清校时间：　　年　　月　　日

附表 1－2　　三峡水库受淹工矿企业固定资产申报核查分类明细表——设施类

企业名称：　　资料时间：　　年　　月　　日　　水位分级：　　账(内、外)新增

序号	申报内容														清查核实					
	名称	账面编号	用途	结构	规定尺寸	单位	数量	建造年月	规定折旧年限	已使用年限	价值			备注	结构特征	规格尺寸	数量	原值（元）	使用状况	备注
											单位造价	原值（元）	净值（元）							
1	2	3	4	5	6	7	8	9	10	11	12	13	14	15	16	17	18	19	20	21
页计																				

企业负责人：　　实物负责：　　财务负责：　　清校人：　　清校时间：　　年　　月　　日

附表 1－3　　三峡水库受淹工矿企业固定资产申报核查分类明细表——机械设备类

企业名称：　　资料时间：　　年　　月　　日　　水位分级：　　账(内、外)新增

序号	申报内容													清查核实							
	名称	账面编号	规格型号	生产厂家	计量单位	数量	购置时间	折旧年限	已使用年限	价值			备注	购置时间	数量	原值（元）	使用状况	技术状况	搬迁方式	搬迁难易及损失程度	备注
										购置单价	原值（元）	净值（元）									
1	2	3	4	5	6	7	8	9	10	11	12	13	14	15	16	17	18	19	20	21	22
页计																					

企业负责人：　　实物负责：　　财务负责：　　清校人：　　清校时间：　　年　　月　　日

附表 1-4　　三峡水库受淹工矿企业流动资产申报核查评估表

企业名称：　　　　　　　　　　　　资料时间：　　年　　月　　日

编号	申报内容								核实内容			补偿费用			备　注
	资产类别及名称	规格型号	单位	数量	重量（吨）	价值		搬迁运输要求	重量	价值	搬迁运输难易	费率（%）	计费单位	金额（元）	
						单价	价值								
1	2	3	4	5	6	7	8	9	10	11	12	13	14	15	16
页计															

申报负责：　　　　　　　　　　　　清核人：

注：(1)按实物资产分类填写：原材料、辅助材料类、燃料动力类、包装物、低值易耗品、生产品、自制半成品、成项物质、超储备物质等；

(2)搬迁运输要求即超重运输要求即 超重、超体积、易碎、防腐、防酸、防震等。

附表 2－1　　三峡水库受淹工矿企业改建、迁建补偿投资评估表——房屋类

企业名称：　　基准日期：　年　月　日　　水位分级：　　账(内、外)新增

编号	资产名称	技术特征			核实账面价值			评估价值				补偿价值（元）	备注
		建造年月	结构及规格	面积（米²）	单价（元/米²）	原值（元）	净值（元）	单价（元/米²）	重置全价（元）	成新率（%）	重估净价（元）		
1	2	3	4	5	6	7	8	9	10	11	12	13	14
页计													

评估单位：　　评估人：　　评估时间：　年　月　日

附表 2－2　　三峡水库受淹工矿企业改建、迁建补偿投资评估表——设施类

企业名称：　　基准日期：　　年　　月　　日　　水位分级：　　账(内、外)新增

编号	资产名称	资产用途	计量单位	技术特征			核实账面价值			评估价值				补偿价值(元)	备注
				建造年月	结构及规格	数量	单价	原值(元)	净值(元)	单价	重置全价(元)	成新率(%)	重估净价(元)		
1	2	3	4	5	6	7	8	9	10	11	12	13	14	15	16
页计															

评估单位：　　评估人：　　评估时间：　　年　　月　　日

附表 2－3　　三峡水库受淹工矿企业改建、迁建补偿投资评估表——机械设备类

企业名称：　　　基准日期：　　　年　　月　　日　　　水位分级：　　　账(内、外)新增

序号	车间名称	设备名称	规格及型号	生产厂家	购置年月	数量	核实价值			评估价值				设备搬迁补偿费用									备注
														拆卸		运输		安装调试		搬迁损失			
							单价	原值(元)	净值(元)	重置单价	重置全价(元)	成新率(%)	重估净价(元)	费率	金额(元)	费率	金额(元)	费率	金额(元)	费率	金额(元)	合计	
1	2	3	4	5	6	7	8	9	10	11	12	13	14	15	16	17	18	19	20	21	22	23	24
页计																							

评估单位：　　　　评估人：　　　　评估时间：　　年　　月　　日

附表 2－4　　三峡水库受淹工矿企业改建、迁建补偿投资评估表——停产费用明细

企业名称：　　　　　　　　　　　　　　　　基准日期：　　年　　月　　日

项　目	申报栏							清核栏			评估结果		备注
	1990 年	1991 年	1992 年	1993 年 5 月	平均	取费（基数）	取费依据标准	取费依据标准	取费基数	月标准费用	停产时间	停产补偿费用	
1	2	3	4	5	6	7	8	9	10	11	12	13	14
1. 工资总数													
(1)基本工资													
(2)政策性补贴													
(3)政策性津贴													
(4)经常性奖金													
2. 职工福利基金													
3. 工会经费													
4. 职工福利基金													
5. 离退休人员费用													
(1)													
(2)													
(3)													
6. 上交税收													
(1)													
(2)													
(3)													
7. 企业留利													
8. 流动资产贷款													
9. 上交管理费													
合　计													

评估单位：　　　　　　　　评估人：　　　　　　　　评估时间：　　年　　月　　日

说明：1. 以上所列各项目为规定费用，不在规定之列的特殊情况另附表说明；

2. 各项费用的计算依据、方法仍按会计制度执行；

3. 各项费用可在 1990～1993 年 5 月之前选取反映企业正常生产情况的平均数计算。

附表 3

三峡水库受淹工矿企业改建、迁建补偿投资评估企业汇总表

企业名称：

序号	资产类别	实物量		账面价值(元)								评估价值(元)								补偿价值(元)				备注
				原值				净值				重置全价				重估净价								
		计量单位	数量	合计	账内	账外	新增	合计	账内	账外	新增	合计	账内	账外	新增	合计	账内	账外	新增	合计	账内	账外	新增	
	1	2	3	4	5	6	7	8	9	10	11	12	13	14	15	16	17	18	19	20	21	22	23	24
	房屋类小计																							
1	(1)生产用房																							
	(2)生活用房																							
2	设施类小计																							
	机械设备类小计																							
3	(1)可搬迁设备																							
	(2)不可搬迁设备																							
	(3)运输工具																							
4	停产损失																							
5	流动资产																							
	合　计																							

评估单位：　　　　汇总人：　　　　汇总时间：　　年　　月　　日